A TIRANIA DOS ESPECIALISTAS

MARTIM VASQUES DA CUNHA

A TIRANIA DOS ESPECIALISTAS

DESDE A REVOLTA DAS ELITES DO PT ATÉ A REVOLTA DO SUBSOLO DE OLAVO DE CARVALHO

1ª edição

CIVILIZAÇÃO BRASILEIRA

Rio de Janeiro
2019

Copyright © Martim Vasques da Cunha, 2019

CIP-BRASIL. CATALOGAÇÃO NA PUBLICAÇÃO
SINDICATO NACIONAL DOS EDITORES DE LIVROS, RJ

C979t Cunha, Martim Vasques da
A tirania dos especialistas: desde a revolta das elites do PT até a revolta do subsolo de Olavo de Carvalho / Martim Vasques da Cunha. – 1ª ed. – Rio de Janeiro: Civilização Brasileira, 2019.

ISBN 978-85-20-01390-8

1. Brasil – Política e governo – Séc. XX. 2. Ciência política – Filosofia. I. Título.

19-56252
CDD: 320.01
CDU: 321.01

Vanessa Mafra Xavier Salgado – Bibliotecária – CRB-7/6644

EDITORA AFILIADA

Todos os direitos reservados. Proibida a reprodução, armazenamento ou transmissão de partes deste livro, através de quaisquer meios, sem prévia autorização por escrito.

Texto revisado segundo o novo Acordo Ortográfico da Língua Portuguesa.

Direitos desta edição adquiridos pela
EDITORA CIVILIZAÇÃO BRASILEIRA
um selo da
EDITORA JOSÉ OLYMPIO LTDA.
Rua Argentina, 171 – Rio de Janeiro, RJ – 20921-380 – Tel.: (21) 2585-2000.

Seja um leitor preferencial Record.
Cadastre-se em www.record.com.br
e receba informações sobre nossos
lançamentos e nossas promoções.

Atendimento e venda direta ao leitor:
sac@record.com.br

Impresso no Brasil
2019

Sumário

1.
Os testamentos traídos   9

2.
A abolição da vergonha   13

3.
A tirania dos especialistas   39

4.
Em busca do *eros* perdido   57

5.
A tragédia da política   61

6.
O impasse da esquerda   85

7.
As ruínas circulares   107

8.
As máscaras do exílio   189

In the uncertain hour before the morning
Near the ending of interminable night
At the recurrent end of the unending
After the dark dove with the flickering tongue
Had passed below the horizon of his homing
While the dead leaves still rattled on like tin
Over the asphalt where no other sound was
Between three districts whence the smoke arose
I met one walking, loitering and hurried
As if blown towards me like the metal leaves
Before the urban dawn wind unresisting.

T.S. Eliot, *Four Quartets*, "Little Gidding" (II)*

---

* *Na hora incerta de antes da manhã/ Perto do fim da noite interminável/ No fim que é recorrente do infindável/ Depois que a pomba negra, língua acesa,/ Passou do horizonte do regresso/ Enquanto as folhas mortas soam lata/ Sobre o asfalto onde outro som não era/ Entre três bairros de onde vem fumaça/ Vi um que andava, à toa e apressado/ Como soprado junto às folhas de metal/ No vento, aurora urbana, irresistente.* Tradução de Caetano W. Galindo.

1.

Os testamentos traídos

O dia 28 de outubro de 2018 ficará conhecido na História do Brasil como o da morte da "imaginação liberal" e o da ressurreição da ambiguidade na nossa atividade política. Segundo Lionel Trilling, este tipo de imaginação consiste em limitar "sua visão do mundo àquilo com que pode lidar, e também inconscientemente tende a desenvolver teorias e princípios que justifiquem suas limitações, em particular em relação à natureza humana", numa "negação das emoções" que tenta simplificar e organizar o fato de que "o mundo é um lugar complexo, inesperado e terrível", impossível de ser "sempre entendido pela mente humana da mesma maneira que ela é usada em nossas tarefas cotidianas".

Já o retorno da ambiguidade é próprio a qualquer atividade política — em especial, à de governar. Eis a principal preocupação do filósofo inglês Michael Oakeshott ao escrever, em meados de 1951, a obra-prima *A política da fé e a política do ceticismo*.

Publicado logo após a morte do autor, em 1990, o livro recupera o que deveria ser óbvio a qualquer um que faça uma análise criteriosa — o fato de que o ato de governar só existe em função de uma ambivalência de vocabulário que torna o mundo político cada vez mais complexo e impossível de ser reduzido aos esquemas mentais da "imaginação liberal". Aliás, essa tensão na linguagem já ocorre no próprio fundamento teórico do pequeno tratado de Oakeshott, em que a política da fé não se refere à crença em quaisquer aspectos religiosos ou transcendentes, mas à perfeição racional segundo a qual um governo pode alcançar o Bem Comum por meios exclusivamente técnicos. Da mesma forma, a política do ceticismo nada tem a ver com a suspeita ontológica de pós-modernos como Foucault ou Derrida — mas sim com a desconfiança ante qualquer poder político centralizado que impeça a liberdade individual.

No fundo, governar de acordo com a orientação do Bem Comum é o princípio norteador da política ocidental — especialmente, a europeia — e que jamais lida com a natureza do que é o ser humano, mas com a *conduta* humana. Apesar de serem descritos como extremos e opostos, na verdade os polos das políticas da fé e do ceticismo estão misturados nas circunstâncias concretas e até podem ser vistos como parceiros. Ou seja: qualquer político, ao se caracterizar como oposição, usa a política do ceticismo para confrontar o governo que utiliza a da fé. Porém, o mesmo político, eleito governante, provavelmente não terá outra solução para implementar suas promessas de campanha exceto aproveitar aquelas mesmas técnicas que antes atacava.

A ambivalência de governar entre a política do ceticismo e a política da fé é justamente o que escapa ao brasileiro José Guilherme Merquior na sua análise sobre uma das variações da política da fé, a que consumiu a maioria da *intelligentsia* nacional nos últimos 30 anos — descrita no livro O *marxismo ocidental* com precisão bibliográfica e clareza estilística, mas sem evitar que a "imaginação liberal", a qual sempre acompanhou o autor, deixasse-o com um cheiro de naftalina. Infelizmente, isto se dá por dois motivos. O primeiro é que Merquior não consegue perceber que o problema do "marxismo ocidental" — aquela linha de pensamento que vai de Georg Lukács a Jürgen Habermas, passando pelos melhores da "Escola de Frankfurt", Theodor Adorno e Max Horkheimer — não é apenas o fato de ser "um irracionalismo" ou de se basear em "uma visão humanista do conhecimento", que deturpa qualquer tipo de perspectiva metafísica, mas principalmente o de se tratar de uma "sedução diabólica", uma verdadeira revolta contra a própria estrutura da realidade, a qual, se não controlada, terminará sempre em uma implacável autodestruição.

O segundo motivo é que, para Merquior, a solução capaz de impedir que esse tipo de marxismo fosse uma "forma suave de contracultura institucional" seria uma recuperação da razão iluminista do século XVIII — por coincidência, uma das formas da política da fé dissecadas por Oakeshott. É justamente a falta de percepção sobre essa parceria inusitada — entre o amor involuntário pela perfeição técnica na atividade do governo e uma oposição a qual compreenda adequadamente a imperfeição inerente aos assuntos humanos — que prejudica a abordagem do ensaísta brasileiro. Ao defender um racionalismo que não possui os meios adequados para combater a "rebelião" metafísica provocada pelos escritos de Hegel e Marx, Merquior expõe uma terrível impotência concreta que, por sua vez, é a característica principal de quem ainda se guia pela bússola da "imaginação liberal".

O impasse da obra de Merquior comprova aquilo que Oakeshott classificou como as "nêmesis" das políticas da fé e do ceticismo. Sem dúvida, em contraposição às críticas feitas ao "marxismo ocidental", Merquior pode ser visto como partidário do ceticismo. Contudo, a sombra que obscurece o ceticismo na política também alcança o autor de *O liberalismo – antigo e moderno*; porque ele se integra ao quietismo político que paralisa por completo o opositor à política da fé — que tem a sua contrapartida quando finalmente se revela no desejo de poder alucinado que pensa controlar, em minúcias, todas as instâncias da vida pública e privada.

Sob essa tensão insuportável em termos práticos, Oakeshott propõe, entretanto, um desenlace típico de seu mestre maior — o grande Michel de Montaigne. Por meio do famoso bordão epistemológico *o que sei eu?*, recupera o campo da prudência aristotélica na figura do "estivador" (*trimmer*) — retirada do clássico *The Character of a Trimmer*, escrito por Lord Halifax entre 1685 e 1688 —, elemento que teria um papel importantíssimo na condução da nau insensata do governo, ao calibrar, de forma harmoniosa, o peso de cada compartimento da embarcação, sem a ajuda de manuais ou instrumentos técnicos, apenas com auxílio da intuição e da experiência concreta.

Como bem descreveu Daniel Marchioni, o mais impressionante no recurso a essa metáfora é o fato de que, para Oakeshott, a solução do dilema político ocidental não estaria nas mãos dos estadistas ou dos intelectuais que os aconselham — algo comum para quem ainda vive segundo a "imaginação liberal" —, mas sim aos cuidados da "profissão mais humilde na hierarquia portuária, normalmente desempenhada por trabalhadores com menor nível de instrução formal". Aqui, "a política *estivadora* procura cultivar a prudência e a moderação. Ela se vale do conhecimento prático não com a intenção de chegar com mais rapidez ao destino, mas com o intuito de manter o barco navegando com segurança durante todo o percurso. Talvez a imagem mais bela dessa metáfora seja a de que o destino de todos acaba recaindo nas mãos do mais singelo dos tripulantes, provando que a virtude da política reside na experiência e no comedimento".

Foi o que se viu em 28 de outubro de 2018, dia em que a sociedade civil brasileira recuperou a ambiguidade da atividade política ao afirmar que é ela, no papel do estivador, quem comanda as ações do capitão do navio ou os devaneios dos pilotos que brincam de intelectuais de gabinete com a pretensão de controlar o veículo.

Portanto, pouco importa o que aconteça no futuro. Mesmo com o lento desaparecimento do "marxismo ocidental", conforme a expectativa dos atuais céticos, chegará a hora em que a política da fé, como sempre, cumprirá o seu papel efetivo para que uma administração faça o que tem de ser feito — a saber: *governar para o Bem Comum*. Enquanto isso, o estivador continuará atento ao peso da embarcação, de preferência lendo atentamente esses escritos, dois testamentos traídos da "imaginação liberal". Espera-se assim que a sua morte neste país não seja mais um motivo para o ressurgimento da "nêmesis" da política da fé — que, se não for vigiada pela prudência do ceticismo, nos destruirá para sempre.

2.

A abolição da vergonha

> *I pay in blood, but not my own.*
> Bob Dylan, "Pay in Blood"

1.

No livro *Crítica da vítima*, de Daniele Giglioli, professor italiano de literatura comparada na Universidade de Bergamo e articulista do jornal *Corriere della Sera*, temos uma apresentação bem didática do mecanismo que regula hoje todas as relações humanas sociais: o de apresentar a vítima como "o herói do nosso tempo". Ou, se quisermos ir além: como o único sujeito que, entre os mortos e os feridos nas discussões em torno do "politicamente incorreto", tem o poder total de ser "o último a permanecer em pé".

Esta noção de ser o *last man standing* acarreta uma imunidade raras vezes vista outrora. Se antes tínhamos a noção crua e nua do que significava ter honra, de aceitar o risco e pôr a sua alma em jogo (ou *soul in the game*, algo muito além do slogan *skin in the game*, popularizado por Nassim Taleb), implicando assim a existência do "princípio responsabilidade" (analisado por Hans Jonas no clássico tratado de mesmo nome), agora temos a fuga disso tudo. Uma fuga que, por um interessante paradoxo, tornou-se o "mecanismo fundador" que garante algum prestígio em uma sociedade onde ser responsável perdeu o valor, graças à isonomia democrática que passou a ser uma lei objetiva da realidade.

Neste ponto, o que Giglioli mostra, em tom de denúncia, é que "ser uma vítima" é a única maneira de conquistar a fama, de adquirir algum poder e de viver protegido dos rigores da sociedade, abusando da boa vontade dos outros. Segundo os tempos em que vivemos, a culpa *in lato sensu* é de todos e a vergonha deve ser abolida sem que alguém se preocupe sobre se ela alguma vez realmente existiu. A igualdade vitimária (e *vitimista*) nos torna completamente indiferentes.

Assim, é de se observar que, especialmente no Brasil, ambos os espectros políticos se aproveitam desse fenômeno de ser uma vítima para ter um espaço público próprio assegurado, sem a intromissão dos "outros", livre do "estranho" que possa quebrar o encanto desse tipo de discurso. Giglioli descreve perfeitamente um procedimento que, se formos analisar de maneira imparcial, foi usado (e abusado) neste Brasil varonil, tanto pelos membros do Partido dos Trabalhadores (nas décadas de 1970 e 1980, antes de tomarem o poder federal, e também em decorrência da Operação Lava Jato) quanto pelos integrantes da chamada "Nova Direita", em especial por Olavo de Carvalho e sua casta de iniciados.

Giglioli mostra-nos então, como exemplo, o caso do escritor italiano Antonio Moresco, cujo

> carisma autoral foi construído, mais do que sobre a indiscutível capacidade literária, sobre o seguinte curto-circuito de paralogismo: "Eu, um excluído, ainda acredito na possibilidade da grandeza literária, enquanto vocês poderosos — escritores consagrados, críticos coroados, funcionários editoriais cínicos e desiludidos — já não acreditam: assim, o fato de vocês não me publicarem demonstra que sou um grande escritor, porque é evidente que vocês se comportam assim para não serem desmentidos. O silêncio de vocês é o meu coroamento. Me autoproclamo um grande escritor. E escolherei autonomamente meus companheiros, desde que não sejam suficientemente outros para que não possam às vezes me criticar, o que em minha língua equivale à traição." O que se seguiu (ainda que não apenas por isso) foi que Moresco teve seus livros publicados pelas principais editoras italianas, além

de ter reunido em torno de si uma fileira de admiradores, dentre os quais escritores e críticos de peso. Tudo de boa-fé, o que é ainda mais significativo. Uma história de sucesso exemplar num cenário de tantos outros sofrimentos destinados a permanecer obscuros, do qual a internet é ao mesmo tempo o arquivo e o cemitério.

No Brasil, praticamente *todos* os intelectuais usaram desse "paralogismo de curto-circuito", uma vez ou outra, seja para se firmarem na carreira, seja para se manterem com algum prestígio ou então amealharem um conjunto de discípulos que aceitassem, sem qualquer questionamento, viver dentro de um "campo de distorção da realidade".

Ser uma vítima do intelecto desprezado, para os que se valem desse recurso, é o que os legitima a que não tenham qualquer responsabilidade sobre seus atos e sobre o que escrevem, inclusive e particularmente nas áreas de comentários das redes sociais. No final, o que os redimirá será o projeto político ou intelectual que, dentro de um determinado tempo rumo a um futuro mais do que incerto, provará aos outros o seu valor. Contudo, isto é apenas uma parte do problema — questão que se agrava ao tratarmos desse assunto espinhoso sob um dilema mais extremo da sociedade: a relação inerente entre raça, violência e vitimização.

2.

Nenhum caso levou esta relação perturbadora a terreno mais sensacional (e sensacionalista) do que a triste história que envolveu o atleta americano Orenthal James Simpson, conhecido publicamente como O.J. Simpson e também chamado, entre seus fãs mais ardorosos, pelo carinhoso apelido de "The Juice".

No dia 12 de junho de 1994, a ex-esposa de Simpson, Nicole Brown, e um colega dela, o garçom Ron Goldman, foram encontrados mortos à frente da residência dela, localizada em um bairro nobre de Los Angeles, Brentwood. Ambos foram assassinados a facadas, sendo que a cabeça de Nicole fora quase decepada devido à violência do golpe. Não muito longe dali, mais ou menos no mesmo horário em que ocorreram os homicídios, O.J. Simpson saía de casa para o aeroporto, rumo a um evento em Chicago.

Diante da cena do crime, os oficiais do Departamento de Polícia de Los Angeles, que haviam sido chamados para investigar o caso, optaram por se dirigir à residência de O.J. Simpson, para avisá-lo do que ocorrera. Vendo, porém, que ninguém atendia a campainha e temendo pelo pior, um deles — chamado Mark Furhman — resolveu pular o muro da mansão, também localizada em Brentwood, a poucos quarteirões de onde morava Nicole. O que ele encontrou no quintal foi perturbador: uma luva de couro completamente ensanguentada. Depois, ao se deparar com o famoso veículo branco de marca Bronco, notou que havia manchas de sangue na porta e também dentro do carro. Com essas evidências, tudo apontava para Simpson como o principal suspeito.

Havia outro agravante. O casal Nicole & O.J. era conhecido pelas brigas homéricas que, invariavelmente, terminavam com as ligações registradas por ela alegando ser espancada pelo marido, um homem que todos sabiam forte e de temperamento irascível. Para a polícia, isso era mais do que um motivo; era uma prova inegável de que Simpson, um típico abusador, tornara-se um assassino frio e calculista, que teria planejado com dolo a morte de Nicole.

Todavia, esta era a superfície do enredo. No plano histórico profundo, havia algo muito sério e mais complicado — o grande cisma entre raças que existia em Los Angeles, cidade dominada por um departamento policial que usava da força, sem hesitar, para submeter negros. Assim, sob tal contexto, uma parte da população negra, considerando-se desprezada em seus direitos, lançava-se constantemente a revoltas violentas — em geral, manipuladas por militantes profissionais dos direitos civis. Quando a indignação explodia, essas mobilizações submetiam a cidade ao caos e às chamas, como ocorrera na década de 1960, com os motins de Watts, e em 1991, pouco antes do caso O.J. Simpson, em função do espancamento impune do taxista Rodney King pela polícia.

Esse ambiente extremamente complexo está retratado no excelente documentário *O.J.: Made in America* (2016), dirigido pelo cineasta Ezra Edelman (não por acaso, filho de um pai judeu e de uma mãe negra). Em quase sete horas e meia de duração, o que Edelman compõe é um prodígio de narrativa cinematográfica, repleta de camadas de significado.

Em uma primeira leitura, temos a história de Simpson, contada como se fosse uma tragédia americana (o que de fato foi) — da ascensão espantosa como jogador de *football*, passando pela sedimentação do status de celebridade, pelo casamento com Nicole, pelo espetáculo midiático em que consistiram seu julgamento e sua absolvição (sim, dei um *spoiler* aos leitores que nasceram no início do século XXI) e pelo confronto com a decadência, até, no final, a queda definitiva, ao ser preso por assalto e tentativa de sequestro em 2007, numa trapalhada ocorrida em Las Vegas (e aqui, de novo, dou um *spoiler*).

Mas, paralelamente, temos a segunda leitura dessa história — e que é o modo como Edelman desmonta, aos poucos, o mecanismo vitimário que, ao mesmo tempo, fizera de Simpson um exemplo a ser seguido e o tornara uma pedra no sapato — um "escândalo" [*skandalon*], se quisermos usar o termo bíblico— daqueles que queriam cultivá-lo como um exemplo de "bom preto" [*good nigger*] para o movimento dos direitos civis.

É então que o documentário ganha uma força impressionante, a ponto mesmo de conquistar lugar relevante na História do Cinema (daí que você deve ver a série ficcional, *The People V. O.J. Simpson: American Crime Story*, com Cuba Gooding Jr. e John Travolta, que trata do mesmo assunto, apenas como um aperitivo). Ezra Edelman tinha 42 anos à época e, portanto, poderia ter feito um filme inspirado pela mentalidade pseudomessiânica de quem acreditara que Barack Hussein Obama seria a solução para "o grande cisma" racial que sempre afetou os Estados Unidos. Não foi o que aconteceu.

No decorrer da narrativa, Edelman permite-se descobrir a história tal como se desenrolou por si mesma, não por meio do filtro da mídia, dos seus principais atores ou dos militantes ideológicos que tentaram controlá-la. Ele pratica o que todo grande documentarista faz — e o que todo grande artista faria: deixou que o real respirasse sem interferências ideológicas, de modo que, ao final do filme, após sete longas horas, tivéssemos um vislumbre temporário e perturbador da verdade sobre o que se passara.

Porque a verdade é esta: Simpson foi alguém que, por se acreditar realmente superior a todos os demais mortais (muitos dos quais o ajudaram a acentuar tal crença, num movimento de duplo vínculo), achou que podia tudo; como, por exemplo, espancar a esposa sem ser preso, depois assassiná-la sem ser responsabilizado judicialmente e, como se não bastasse, usar a própria cor de pele, à luz da questão racial na nação americana, para se livrar do ato hediondo sem ter a mínima noção do que fosse uma consequência moral.

Porém, a realidade costuma contra-atacar; e, quando isso acontece, não perdoa. Em um lance digno do destino, Simpson seria preso por um crime banal (se comparado àquele pelo qual fora absolvido anteriormente), e o sistema judiciário resolveu cobrá-lo de maneira mais do que simbólica: com uma pena de 33 anos — um ano para cada milhão que devia, como indenização civil, à família de Ron Goldman, uma quantia que, obviamente, nunca se preocupara em quitar.

Fica evidente, no documentário de Edelman, que Simpson usou do "paralogismo de curto-circuito" analisado por Daniele Giglioli, transformando-se em uma pretensa vítima, algo meticulosamente construído por seus advogados de defesa (em especial, pelo militante negro Johnnie Cochran) não só para que fosse absolvido, mas, principalmente, para que se tornasse "o último a permanecer em pé".

Ao mesmo tempo, Edelman mostra que os movimentos de direitos civis também se aproveitaram conscientemente desse mesmo "paralogismo" para usar Simpson como um meio de alcançar mais poder diante das autoridades governamentais — com o agravante de que, se o atleta fosse condenado, os militantes recorreriam, de forma deliberada, ao terror e à intimidação para sequestrar psicologicamente o resto da população de Los Angeles (em especial o mundo jurídico, que temia por uma revolta igual ou pior àquela havida quando do caso Rodney King).

O.J.: Made in America é o registro de uma sociedade — como todas as outras que existem no Ocidente, inclusive a brasileira — que precisa *sistematizar* a violência para que esta não transborde para o resto da população. Entretanto, a natureza violenta do ser humano continua lá, de maneira dissimulada, sempre a borbulhar. Quando atinge o ponto de ser articulada "a sangue-frio", *in cold blood*, como diria o título da famosa reportagem romanceada de Truman Capote, chega-se também ao limiar de como funciona realmente o mecanismo vitimário.

3.

Nas décadas de 1950 e 1960, o movimento de direitos civis tinha como principal preocupação o preconceito contra a raça negra, mas, pouco a pouco, esse cuidado se ampliaria para alcançar outros estratos, aqueles que Dostoievski chamava de "humilhados e ofendidos" — em especial, os homossexuais, os deficientes e os criminosos. Como bons discípulos de Rousseau, os criminosos passaram a acreditar que não eram responsáveis por seus delitos, e que a sociedade como um todo deveria assumir os riscos das condutas delituosas sem qualquer espécie de cautela.

Um dos livros que colaboraram para o surgimento deste "novo tempo de mundo" foi justamente a reportagem *A sangue-frio* (1966), pelo menos assim classificada por seu autor, o escritor sulista, assumidamente gay, Truman Capote. Todos já devem conhecer o mote da obra: a narrativa do crime brutal que aconteceu na pequena cidade de Holcomb, no Texas, com a família Cutter — assassinada com requintes de crueldade por dois bandidos, Perry Smith e Dick Hickock, no final do ano de 1959.

Capote descreve essa tragédia com o uso de truques ficcionais, presumivelmente baseados na apuração escrupulosa de dados, documentos e fatos. Na primeira parte, temos o relato do cotidiano da família a ser dizimada, num ritmo impecável, numa costura literária que termina com a descoberta dos cadáveres — um dos momentos mais inesquecíveis da literatura americana do século XX. Já na segunda parte, Capote acompanha o julgamento, a prisão e a condenação dos assassinos, com aparente distanciamento, mas igualmente fascinado pelo detalhe — típico de quem opera sob a "imaginação liberal" diagnosticada por Lionel Trilling — de que, segundo seu ponto de vista, os homicidas talvez fossem mais vítimas do que propriamente carrascos.

A expressão "a sangue-frio" (*in cold blood*) é usada somente uma vez no livro — e para retratar a mecânica do sistema judiciário ao condenar Smith e Hickock, nunca para descrever o que os assassinos fizeram com a família Cutter. Indiretamente — e, mais, enganando deliberadamente o leitor —, Capote esvazia os criminosos de qualquer responsabilidade. Ele alega que fora o "meio social" da América a empurrá-los para o ato hediondo, num raciocínio que, na mesma época, também havia sido usado por Hannah Arendt, em *Eichmann em Jerusalém* (1966), para teorizar sobre a tal da "banalidade do mal". Aquele que está sendo julgado pela sua culpa objetiva jamais é posto em dúvida por causa de sua condição de vítima — e, aqui, fica nítido que a aliança entre "bandidos e letrados" (expressão de Olavo de Carvalho) contaminaria em breve a sociedade americana, como visto no documentário *O.J.: Made in America*.

Não seria exagero afirmar que o livro de Truman Capote preparou os EUA para o ambiente de constante vitimização, que não só implicaria na repercussão do caso O.J. Simpson, mas, principalmente, em toda a era dominada pela presença do presidente Barack Obama. Mas, neste caso, não foi apenas Capote que preparou o terreno para a vitimização na América. Quando ele rumou à cidade de Holcomb, havia também uma moça mirrada, incrivelmente mais talentosa do que o escritor de *A sangue-frio*, e que o ajudaria na pesquisa e nas entrevistas com os habitantes traumatizados por causa do massacre perpetrado pela dupla Smith-Hickock: Harper Lee.

Ninguém sabia naquela época, mas Lee seria a autora de um romance, inspirado nas memórias de infância compartilhadas com seu amigo Truman, que, de certa forma, representa uma resposta ao que Capote fez em sua pretensa reportagem — o clássico *To Kill a Mockingbird* (traduzido, no Brasil, como *O sol é para todos*), lançado em 1960. Apesar de ter sido publicado seis anos antes de *A sangue-frio* — simplesmente porque Capote, um perfeccionista, ficara paralisado ao escrever o seu livro, processo não ajudado pelo fato de que havia se apaixonado por Perry Smith —, o romance de Lee foi concebido e redigido naquele mesmo período, o que indica que ambas as obras travavam um diálogo indireto sobre o tema de como somos responsabilizados pela violência que cometemos.

To Kill a Mockingbird conta a história da menina Scout, que, pouco a pouco, vê seu pai, o ilibado advogado Atticus Finch, enfrentar a cidade racista de Maycomb, no Alabama, para defender um negro que fora erroneamente acusado de ter estuprado uma moça pobre e branca — antecipando, em linhas gerais, todo o drama que depois cercaria o julgamento de O.J. Simpson. A diferença, aqui, é que o negro era a verdadeira vítima e que a moça branca fingira ter sido agredida somente para recuperar o prestígio perdido na comunidade sulista.

Harper Lee, porém, não está preocupada apenas com a questão do racismo, mas, sobretudo, com a educação de uma determinada sensibilidade (no caso, a de Scout) quando afetada pelo Mal Lógico que existe (e *atua*) no mundo — algo que, presumivelmente, deveria ser também a perspectiva de Truman Capote em *A sangue-frio*, mas que foi posta de lado graças à "tirania do status", em função da qual o escritor preferiu agradar seus companheiros de *intelligentsia*, pouco lhe importando se a realidade invertia todo o mecanismo de "paralogismo de curto-circuito" perpetuado pelos dois criminosos (e também pelo romancista).

Um dos detalhes que mais chama a atenção quando comparamos *A sangue-frio* e *To Kill a Mockingbird* é a espantosa semelhança entre as famílias Cutter e Finch. Não seria um exagero, sem dúvida de caráter irônico, insinuar que, ao descrever as atividades domésticas dos Cutter — e até mesmo o modo como o patriarca lidava com seus vizinhos e empregados na fazenda onde morava —, Capote faz o possível para construir a caricatura invertida do que a sua amiga Harper conseguira na criação do marcante personagem de Atticus Finch. Neste caso, destruir um Cutter seria também destruir tudo o que representava um Finch — toda a honra, toda a decência, toda a bondade que a América representou aos olhos mais sensíveis de Lee.

Talvez por isso o grande pecado artístico de *To Kill a Mockingbird* — nas palavras de Anthony Daniels, em um artigo sobre o livro publicado na revista *The New Criterion* — seja o pendor para um sentimentalismo que não consegue ver a interrelação do problema da raça e da violência de maneira objetiva.

No *Bildungsroman* da menina Scout, a educação de uma sensibilidade frente ao problema do Mal torna-se uma maneira a mais de saber quem cometeu um crime contra a dignidade de um homem negro — e não uma reflexão sobre o triste fato de que todos nós somos capazes tanto de cometer algo similar quanto de sofrer essas atrocidades, iguais aos negros no sul dos EUA ou, em um caso extremo, os judeus na Alemanha nazista.

O mais interessante das relações ocultas entre os livros de Capote e Lee é que, sem sabermos, ela própria já tinha dado uma resposta aos problemas epistemológicos apresentados no seu romance de estreia — que, de resto, como todos sabem, foi um fenômeno de vendas, o que possibilitou, por um lado, que fosse reconhecida internacionalmente, mas, por outro, resultou numa paralisia completa em termos artísticos, impedindo-a de publicar qualquer coisa nos sessenta anos seguintes, os quais viveu como uma reclusa.

Entretanto, em 2015, foi anunciado que Harper Lee lançaria um novo romance — intitulado *Go Set a Watchman* (traduzido como *Vá, coloque um vigia*) e que, por incrível que pareça, tinha sido escrito antes de *To Kill a Mockingbird*, mas que se passava, na cronologia do seu próprio mito criador, após os fatos descritos no seu (então) único livro. O melhor, porém, estava por vir: porque, na história desta continuação, o homem justo que todos conheciam como Atticus Finch se revelava como (e aqui vai o meu terceiro *spoiler* neste capítulo) um integrante da Ku Klux Klan, a temível KKK, que, na época da luta pelos direitos civis, nos anos 1960, tinha a mesma reputação de uma Gestapo.

Como assim?, perguntaram os críticos. Como aquele homem tão íntegro, que defendera um negro injustiçado, poderia se aliar aos mesmos sujeitos nefastos, ansiosos para destruir a democracia racial que, então, era plenamente realizada pelo governo de Barack Obama? Era impossível. Contudo, era um fato. Na história de *Go Set a Watchman*, Scout transformara-se na adulta Jean Louise, amargurada por perder o adorável irmão Jen em um ataque fulminante do coração, indecisa sobre se deveria se casar ou não com um rapaz boa praça da vizinhança, e com graves problemas de relacionamento com o pai Atticus, não por ele ser um tirano, mas, muito pelo contrário, por ser o exemplo da retidão que, de repente, é (ou *não é*) um membro da organização mais racista de todos os tempos.

Ao contrário de *To Kill a Mockingbird*, que encantava o leitor pelo seu lirismo — e que poderia descambar no sentimentalismo *kitsch* denunciado por Anthony Daniels —, *Go Set a Watchman* tem um estilo seco, duro, cujo tom agridoce os críticos confundiram com "estudantil" (eles sempre falam isso quando uma obra desagrada por completo as suas crenças mais ferrenhas). Ao ser narrado em terceira pessoa (e não em primeira, como no livro anterior), o romance permite que o leitor acompanhe a abertura da consciência de Jean Louise, quando se depara com um problema que sua "imaginação liberal" não consegue compreender em todas as nuances.

Sim, Atticus Finch faz parte da KKK; mas seria ele um racista de fato? O próprio advogado explica à filha que não se trata de uma questão de raça, e sim de encontrar uma resposta prudente a uma complicada situação política que, se não fosse levada a sério, poderia destruir toda uma tradição, simplesmente porque os dois lados da batalha pelos direitos civis haviam sido tragados pela "política da fé" analisada por Michael Oakeshott. E, tendo isso em mente, Finch queria impedir essa tragédia anunciada a qualquer custo.

É claro que a filha tem razão ao questionar se o pai não estaria equivocado ao se aliar a sujeitos errados para, à custa de sua integridade moral, cultivar algum equilíbrio na comunidade. Porém, o ponto do romance de Lee é justamente este: Jean Louise tem de perceber que seu pai é também um ser humano, falível e imperfeito, e não aquele modelo de justiça que ela própria colocara em um pedestal — assim como a maioria dos americanos ao imaginar que Atticus Finch fosse um intocável Gregory Peck, conforme a versão cinematográfica dirigida por Robert Mulligan em 1963.

Ou seja, a demolição da figura paterna de Atticus também integra aquela educação de sensibilidade perante o problema do Mal — o tema do livro anterior de Lee, ainda que, naquela vez, não tinha sido desenvolvido a contento. Agora, entretanto, quem faz essa pedagogia se impor de fato é o próprio pai de Jean Scout — e aqui está a surpresa que Harper Lee guarda para nós: ele fez isso deliberadamente, para permitir que a filha se tornasse enfim uma mulher adulta, sem qualquer ilusão.

Neste ponto, *Go Set a Watchman* se mostra como uma obra de arte muito superior a *To Kill a Mockingbird*, não por uma mera questão estética, mas porque resguarda aquele princípio ético que sustenta a grandeza de qualquer romance que fale verdadeiramente sobre o que ocorre na sociedade onde foi concebido e na alma individual que o criou.

Este livro enfrenta o problema da raça e da violência nos EUA — que contaminaria por completo o modo como compreendemos o mecanismo vitimário — constatando que não há outro modo de entender o Mal dentro de nós e o Mal que nos rodeia senão olhando para a consciência interior. Eis o que significa o título do segundo romance publicado de Lee, retirado de um versículo do profeta hebreu Ezequiel. A nossa "consciência" é o "vigia" que nos observa noite e dia — aquilo que Truman Capote não havia compreendido quando defendeu indiretamente seus criminosos de estimação na reportagem estetizada que é *A sangue-frio*.

Talvez por ter entendido precisamente o oposto do que o amigo de infância pensava, Harper Lee escolheu o exílio interior e permitiu que o tempo desse a resposta, publicando a sequência da sua história em 2015, um ano antes de morrer. Antes de dar o último suspiro, deixou que sua consciência falasse o que devia anunciar a todos nós, sem qualquer receio.

O momento da sua publicação tampouco poderia ser mais perfeito. *Go Set a Watchman* foi lançado no final do governo de Barack Obama, um presidente que, de certa maneira, precisou de que existisse um *To Kill a Mockingbird* para ser aceito em uma sociedade dividida. Mas se, na época do primeiro livro, os negros eram verdadeiras vítimas, agora, no surgimento do segundo (e perturbador) romance, usavam do "paralogismo de curto--circuito" sem se preocuparem com a possibilidade de algum vigia os avisar de que havia algo errado (e, mais, imoral) naquele tipo de atitude.

No final da vida, Harper Lee deu uma solução singela para um problema civilizacional — mas uma solução que confunde a todos nós, contaminados pela "imaginação liberal", porque tal desenlace depende apenas de nossas próprias escolhas. A vítima só pode existir se não admitir para si mesma que pretende imitar alguém que permitiu se vitimizar há muito tempo. Portanto, no final do século XX e no início do XXI, a vítima é alguém incapaz de dizer a seu próprio coração este aforismo de Montesquieu: "Se nem toda a gente sente o que digo, *a falta é minha*." Ora, hoje, todos são vítimas porque ninguém tem culpa — é claro.

4.

E aqui está a base desta "religião política" que controla as nossas sensibilidades — a igualdade democrática que abole a culpa e a sua filha direta: a vergonha. Mas temos de levar em conta o simples raciocínio de que, se somos todos iguais nos nossos direitos, somos iguais também nos nossos deveres — e, se o cumprimento da primeira premissa não acontece, é porque temos uma lei natural que compõe a estrutura objetiva da realidade. Esta lei consiste na evidência histórica de que a única igualdade que possuímos está na capacidade de realizar o Mal para nós mesmos e os nossos semelhantes.

Neste caso, apesar de vivermos em estados-nações que se dizem civilizados porque aboliram a pena da morte (exceto em alguns territórios do sul americano), na igualdade democrática todos nós estamos, de uma forma ou de outra, sujeitos a ser vítimas de outra condenação fatal, desta vez submetida pelas forças corruptas do Estado ou, o que é pior, pelas mãos do terror das organizações criminosas que querem submeter o cidadão normal a uma "comunidade do sofrimento" — e que vão desde a Al-Qaeda até o Primeiro Comando da Capital em São Paulo, passando pela sua variante mais recente, o Estado Islâmico.

Na igualdade democrática, a pena de morte, explícita ou implícita, faz com que o cidadão fique cada vez mais rendido ao poder do Estado, sem saber quais as consequências deste fato arcano. Segundo o filósofo Pierre Manent, em *A razão das nações*, a discussão em torno da pena de morte

> tende a atribuir ao Estado mais força do que o Estado tem, ou pode ter, [negligenciando] a troca vital e moral que se estabelece entre os societários e o Estado, e que está no princípio da sua legitimidade e da sua força, ao mesmo tempo. O Estado pede-me, não, exige-me que eu, não apenas não faça justiça por mim próprio, mas mesmo que eu renuncie à legítima defesa, salvo em casos estritamente circunscritos. Antes mesmo de nos constranger, educa-nos a abstermo-nos de todos esses gestos, passos e disposições, com a ajuda dos quais, no estado de natureza [descrito por Thomas Hobbes], nos preparávamos para nos defendermos. Educa-nos a desfazermo-nos das nossas defesas naturais e a confiarmos nele, para nos defender em nosso lugar. Exige de nós um enorme sacrifício e um imenso ato de fé.

Foi justamente isso que Truman Capote não percebeu ao escrever *A sangue-frio*: ao encaixar os dois assassinos nas engrenagens de um Judiciário que tinha de puni-los de qualquer forma, imediatamente passa a acreditar que os sujeitos são vítimas; porque, afinal de contas, não há criminoso pior do que o Estado, que, com o seu poder, vai contra as benesses da igualdade democrática, ao mesmo tempo que finge apoiá-la.

Capote, porém, observa tudo apenas em termos institucionais e não percebe que a responsabilidade objetiva de quem pratica um crime ou um ato de racismo decorre, sobretudo, do reconhecimento da própria consciência interior, do "vigia" que Harper Lee colocou silenciosamente diante dos olhos de sua Jean Scout, quando esta compreendeu que a justiça do pai só teria eficácia se praticada em conjunto com a prudência imperfeita das circunstâncias concretas.

A violência do ser humano, em qualquer ambiente social, nasce da lacuna que, até hoje, a democracia não conseguiu preencher — até porque não é essa a sua função. A igualdade democrática é somente um princípio abstrato e ideal — e jamais uma panaceia. Ela é incapaz de resolver a destruição inerente em tudo o que realizamos.

Assim, não seria um exagero acompanhar a afirmação de Manent quando escreve que os EUA (e o que conhecemos como Ocidente), apesar de "tocquevillianos por excelência", dominados como poucos pela mentalidade da isonomia da democracia, chegando ao ponto de serem absorvidos na famosa "tirania da maioria", jamais romperam "com a matriz hobbesiana do Estado-nação ocidental" — que deveria impedir, sob quaisquer meios, a proliferação do "estado de natureza" em que todos podem se destruir uns aos outros.

Eis um "paradoxo", e "mesmo uma espécie de mistério histórico", que poucos analistas conseguem elucidar para o público em geral: "em qualquer caso", explica Manent, "nos Estados Unidos de hoje, o laço entre a legitimidade do Estado, que pune, e a experiência do estado de natureza, nunca completamente ultrapassado, não apenas se mantém, como se reforçou no último período, muito antes [e, podemos acrescentar sem medo, muito depois] do ataque do 11 de setembro".

Nos EUA, a discussão sobre "o reconhecimento geral da legitimidade da pena de morte vai aí de par com a reinvindicação muito expandida do direito de cada cidadão se armar para a sua legítima defesa". Para os americanos, em um mundo onde todos são iguais ante uma violência que pode ser cometida tanto pelos seus comparsas quanto pelos inimigos da democracia, "o risco de morte violenta às mãos de outros nunca desaparece completamente, [e] também não desaparece nunca completamente o direito de legítima defesa", sendo o porte de arma uma manifestação desse direito.

Portanto, a única forma de deixar de ser uma vítima neste mundo onde todos "querem permanecer de pé" é entender, com maturidade, o que significa o uso da violência — e que tal fenômeno implica uma aceitação do "princípio responsabilidade" de Hans Jonas que poucos têm a coragem de admitir.

Neste tipo de sociedade, permitir-se ser uma vítima é, com certeza, uma maneira de manter o poder por curto ou médio prazo, mas é também algo que, ao longo do tempo, resulta em evidente fragilidade. Quando isto ocorre entre países — ou, para ser mais preciso, entre civilizações, como acontece com os EUA, a Europa e o Islã —, a violência chega a uma "escalada dos extremos" que impressiona até mesmo o mais megalomaníaco dos sujeitos; que, se estiver em desvantagem e for obrigado a se manter no "paralogismo de curto-circuito", só terá a alternativa de criar a narrativa de que é um "injustiçado".

5.

A escalada de extremos é precisamente o exemplo dado pelo Islã radical, ou *jihad* global (para usar o conceito de Richard Landes em seu livro *Heaven on Earth: The Varieties of Millennial Experience*), um combate também descrito com minúcias pelo historiador David-Pryce Jones no ensaio "The Roots of Arab and Muslim Violence". Segundo ambos os estudiosos, a principal característica desse novo tipo de vitimismo é a tendência suicida, motivada claramente por um objetivo político — inspirado, por sua vez, nas narrativas conspiratórias da União Soviética stalinista, de que esta seria um alvo inocente das medidas restritivas dos EUA, na década de 1930, e depois no início da Guerra Fria. Assim, a salvação pessoal da vítima só poderia ocorrer por meio de atos espetaculares de violência que pretenderão atingir somente a população civil.

Esse tipo de técnica subliminar de convencimento não foi usado apenas pelos soviéticos, mas também pelos nazistas no auge da Segunda Guerra Mundial. Neste ponto, é possível afirmar que todos os totalitarismos têm a sua peculiar isonomia democrática.

No caso da conspiração que prevalece no mundo árabe e muçulmano, Pryce-Jones se baseia em outro historiador, Daniel Pipes, para mostrar que, por incrível que pareça, os alvos continuam os mesmos. Para os islâmicos radicais, os culpados de todas as desgraças que os acometem são os sionistas judeus, os imperialistas americanos e os outros judeus que, embora não estejam no "território ocupado" de Israel, devem ser eliminados justamente por se omitirem a respeito do assunto.

Trata-se de uma teia intricada de conspirações sobrepostas. No fundo, porém, todas têm o mesmo tipo de raciocínio. Segundo essa visão de mundo, conforme Pryce-Jones nos relata,

> os muçulmanos tendem a se ver como vítimas indefesas, possuídas por um sentimento de desesperança criado por um inimigo que é impossível de ser derrotado. Neste tipo particular de mundo, a educação e a experiência são tão limitadas que eles fracassam ao providenciar uma visão realista do que acontece no planeta, fora dos limites da sociedade onde vivem. Para alguns, uma mistura de ignorância, orgulho ferido e determinação prepara o caminho para saírem deste impasse por meio do Islã político, levando-os a praticar a *jihad*, ou a guerra contra os infiéis. O fim supremo passa a ser a união da comunidade muçulmana como um todo sob um Califado revivido e, portanto, restaurar a superioridade prometida por Allah e que teria acontecido, presumivelmente, em um passado distante. Em uma declaração feita na internet, Abu Yahya al-Liby, um dos líderes mais antigos da Al-Qaeda, falou aos militantes jihadistas do Marrocos para a Ásia Central: "Acreditamos que o mundo inteiro deve ser comandado pelo Islã, e nenhum outro solo deve ser uma exceção... O Islã nos ordenou a lutar contra as pessoas que se recusaram a se submeter à lei de Allah. Estamos agora no início deste caminho, quando tentamos recuperar as terras que nos foram tomadas pelos infiéis." Esta impossibilidade de conseguir qualquer coisa semelhante a isto adiciona uma dimensão extra de frustração e fanatismo.

A conspiração, sob qualquer forma, é o alimento de quem pratica o "paralogismo de curto-circuito", seja o intelectual brasileiro da Velha Esquerda ou da Nova Direita, o assassino que trucida sua própria esposa, os bandidos que matam uma família inteira, a filha que não reconhece que o pai é somente um ser humano e, em último caso, o terrorista islâmico que deseja destruir o resto do mundo apenas para aplacar o desejo de violência e o amor pela conquista sangrenta.

No caso da *jihad* global, a narrativa de que existe um conflito entre o Ocidente e o Islã remonta a 1928, fomentada pelos próprios muçulmanos radicais, em especial por Hassan al-Banna, fundador da Fraternidade Muçulmana. Foi ele quem escreveu, entre outras coisas, estas singelas palavras de comando: "Agora, ficou evidente para nós de que há uma vasta conspiração arranjada pelo imperialismo cultural e religioso contra o Islã. A meta desta trama é destruir a posição que o Islã ocupa nos corações dos fiéis."

A Fraternidade é uma espécie de sociedade secreta que se alimentou dessa retórica da conspiração para, por meio da deformação pneumopatológica que é a *jihad* radical, ramificar-se em uma organização mundial que tem conexões em mais de cinquenta países, algumas na Europa, e com filiais terroristas como o Hamas e a Hizb ut-Tahir. Todos seguem o seguinte credo: "Allah é o nosso objetivo. O Profeta é o nosso líder. O Corão é a nossa lei. *Jihad* é o nosso caminho. Morrer no caminho de Allah é a nossa maior esperança."

Não é necessário dizer que o mecanismo vitimário, neste caso específico, justifica diretamente o uso da violência e do terror como forma eficaz para superar essa mesma condição rebaixada.

O problema é que ninguém mais sabe dizer se o credo divulgado pelos membros jihadistas da Fraternidade é o mesmo de um islâmico quando do surgimento de sua religião, à época de Maomé. Hoje, sabemos apenas que se trata de uma crença contaminada pelo próprio pensamento modernista ocidental de cujas garras os jihadistas querem escapar a todo custo. Trata-se também de um comando contra um Ocidente que, para o bem ou para o mal, conseguiu influenciar o mundo árabe por meio das criações artificiais de estados-nações.

Neste ponto, o debate sobre o intervencionismo chega a uma encruzilhada única: o Ocidente — através dos EUA e da Inglaterra — quer melhorar a política árabe com a pretensão de ensiná-la sobre as normas da democracia, mas se esquece de que a própria definição do que seria um Estado se opõe à estrutura fundamental do Islã: a das tribos regidas exclusivamente por um código de moralidade que alterna honra e vergonha, não necessariamente nessa ordem.

A tribo é a célula *mater* que fundamenta a comunidade dos fiéis do Islã, que se veem numa comunhão supranacional, acima de qualquer Estado ocidental. Dentro das várias tribos, existem cismas de heterodoxia religiosa e guerras dinásticas que obscureceram a realização efetiva do tal sonho de unidade no passado. Por exemplo: hoje, segundo Pryce-Jones, cerca de nove entre dez muçulmanos são sunitas, a maior das seitas, acostumada com a autoridade daqueles que detêm o poder. Para os sunitas, a oposição é a minoria dos xiitas, vista como uma subordinada natural ou, na pior classificação, como um ramo herético entre os islâmicos.

A única solução para os xiitas é se definirem como vítimas, que precisam se defender de qualquer maneira. Daí por que fomentem a luta contra os sunitas, principalmente por meio dos otomanos (espalhados na Arábia Saudita e também na Turquia) e dos xiitas iranianos (sobretudo depois da Revolução Islâmica de 1978, liderada pelo famoso Ayatollah Khomeini).

Como se não bastasse a influência desastrada dos estados-nações do Ocidente nos assuntos particulares do mundo árabe, temos também o impacto pernicioso das ideologias totalitárias, como o comunismo e o nazismo, que acentua ainda mais o desejo de sangue, típico de quem integra a *jihad* radical. É notório que tanto Saddam Hussein quanto Osama bin Laden tinham como "modelos de gestão" ninguém menos que Lenin, Stalin e Adolf Hitler.

Tais exemplos infectaram de tal maneira o credo jihadista que a tendência suicida só poderia ser o efeito imediato desse tipo extremo de mecanismo vitimário. Logo, estamos em um círculo vicioso do qual ninguém parece encontrar escapatória: seja o tímido Ocidente, criando suas vítimas internas porque se sente culpado por suas próprias ações; seja o Islã, que, independentemente (ou *por causa*) da cisão entre sunitas e xiitas, vê-se como uma vítima perante o imperialismo ocidental e sionista, razão por que responde com a *jihad* global, segundo a qual só a violência e o terror resolveriam esse desequilíbrio.

Enquanto isso, os cadáveres dos civis se sucedem e ficam empilhados, sem terem qualquer registro do que os transformaria em verdadeiras vítimas. Neste meio-tempo, como bem observou Giorgio Agamben em sua série *Homo Sacer*, os estados-nações e as tribos muçulmanas se digladiam entre si para saber quem dominará o "estado de exceção" que se tornou o nosso mundo.

6.

Como bem resumiu Pedro Sette-Câmara, em um artigo sobre o livro de Daniele Giglioli, o final de *Crítica da vítima* nos leva de um olho de furacão a outro e, por isso, prefere a abordagem mais secular de um Agamben em vez de a de um René Girard, voltada aos dilemas religiosos e propensa à elegância das grandes soluções milenares. Contudo, é Girard que talvez vá ao "coração do problema", quando revela que o "paralogismo de curto-circuito" começou com a crucificação da vítima ideal, Jesus de Nazaré, e que depois teria sido pervertido no curso da modernidade.

Em seu livro *Eu via Satanás cair como um relâmpago*, Girard escreve que "o cuidado com as vítimas" é a principal característica de nossa sociedade globalizada. Este "aspecto peculiar" mostra que tal cuidado "não se satisfaz com os sucessos passados", pois, "se for muito elogiado, ele se retira com modéstia, buscando desviar de si próprio uma atenção que deveria se dirigir somente às vítimas. Ele se fustiga perpetuamente, denunciando sua própria moleza, seu farisaísmo. *Ele é a máscara laica da caridade*" [grifos meus].

É o "cuidado com as vítimas" que nos impede de examinar a nós mesmos com a devida cautela. Para Girard, "não importa se essa humildade [que se origina com o tal 'cuidado'] é fingida ou sincera: *ela é a norma em nosso mundo e, indiscutivelmente, é ao cristianismo que ela remonta*. A preocupação com as vítimas não pensa em termos de estatísticas. Ela opera segundo o princípio evangélico da ovelha perdida. Por ela, se for preciso, o pastor abandonará todo seu rebanho" [grifos meus].

A "máscara laica da caridade" que sustenta a igualdade democrática faz, no fim, implodir o próprio mundo onde surgiu para amparar sua frágil ordem. O "cuidado com as vítimas" destrói, por dentro, os governos que deveriam mantê-lo como norma fundamental. E isto ocorre porque, no fundo, o mecanismo vitimário implica perder qualquer noção do que seria o "princípio responsabilidade", aquilo que nos impele a pôr o nosso na reta, o *skin in the game* defendido por Taleb, a ser levado para além, transformando-se finalmente no *soul in the game* que tornaria qualquer sociedade mais resistente ao evento imprevisível pode colocá-la ante o colapso.

Porém, este "cuidado com as vítimas" não pode ser explicitado neste efeito destrutivo, que deve ocultar por meio de diversos disfarces, desde a pretensa humildade até a criação alucinada de uma narrativa que justifique seus atos mais hediondos. Ser uma vítima, diz Giglioli, garante ao mesmo tempo a existência de uma história fabricada, o artifício do *storytelling*, da construção de narrativas, e a sua expansão "de maneira indiscriminada" no ambiente cultural, especialmente "em muitas áreas das ciências humanas: a filosofia, analítica ou continental, de Arthur Danto e Paul Ricoeur; as neurociências, de que é expoente Daniel Dennett; a historiografia (Hayden White, Robert Darnton, Simon Schama); a antropologia (Clifford Geertz, Marc Augé, James Cliffrod); a psicologia (Jerome Brumer); os estudos culturais (Home K. Bhabba)", nas quais "todos concordam em afirmar que [a] identidade, pessoal e coletiva, é [a] narração que cada um consegue fazer de si". E aqui Giglioli arremata: "A identidade é narrativa. *Homo sapiens = homo narrans*. Uma pessoa é sua história, uma nação também. E da mesma forma um produto, uma empresa, uma campanha eleitoral."

Poderíamos ir além: a narrativa de ser uma vítima tornou-se a própria democracia—como também a forma como ela mostra suas engrenagens internas, que supostamente deveriam ser usadas por seres humanos dotados de livre-arbítrio e responsáveis. "Do marketing à comunicação política, da gestão dos recursos humanos às estratégias de empresa, das formações dos líderes às motivações dos clientes, funcionários e eleitores", escreve Giglioli,

> não existe setor da sociedade que prescinda da necessidade de ser imaginado, organizado e vivido como uma história que estabelece com clareza os papéis e os valores e prescreve objetivos e desejos de quem deve recitá-la. É notório o papel decisivo dos *spin doctors*, a colaboração entre Hollywood e o Pentágono, a função que os jogos de simulação desempenham no treinamento de militares ou na reabilitação da síndrome do stress pós-traumático. Toda a grande imprensa está se reorganizando no rastro do *storytelling*. As relações de trabalho, saídas do silêncio da fábrica fordista, estão saturadas de narrativas capturadas e reformatadas por um *management* que dela se serve para canalizar aspirações, suscitar medos, promover fidelidade, remover conflitos. As estratégias de expansão industrial e financeira são planejadas como *fiction*,

romances, filmes ou até mesmo fábulas. Raciocinar é enfadonho, o cálculo regela, a imagem sozinha causa desconforto: será verdadeira? Uma boa história a remotiva, fornece a ela a didascália, prescreve as reações emotivas que terá que suscitar e sobretudo torna-a, servindo-se de procedimentos engendrados no laboratório das narrações de ficção, mais "realista", não enquanto mais aderente à realidade, mas enquanto verossímil, aceitável.

Não é difícil afirmar que a descrição acima cabe exatamente ao que aconteceu com Truman Capote; e que foi contraposto por Harper Lee; depois remodelado por O.J. Simpson, durante o julgamento pela morte de Nicole Brown; refeito pelo próprio Estado-Nação como uma forma de controlar o nosso uso da violência; agora reescrito, em escala civilizacional, pela *jihad* global; e, em escala tupiniquim, pelos intelectuais da Velha Esquerda e da Nova Direita, todos, absolutamente todos, dependentes do "paralogismo de curto-circuito" para se manterem, simultaneamente, como vítimas e deuses poderosos, capazes de sacrificar qualquer um que se torne uma pedra no meio do caminho.

As histórias de vítimas "são as mais bem-sucedidas em absoluto", mesmo que sejam todas indistintas. Afinal, é claro, "certas histórias são mais iguais que outras", uma vez que, se o estereótipo pode confortar por um lado, do "outro provoca angústia, inquietação ontológica, ânsia de desrealização: sou realmente eu ou é um arquétipo aquele que anda por aí com meu nome?", questiona-se Giglioli:

> Por que deveriam prestar atenção em mim se minha história já foi narrada mil vezes? Aquele que mais aspira ao autêntico, mais se enleia na repetição. A essa imperiosidade a vítima é poupada, porque ninguém poderá jamais citá-la em juízo por seus estereótipos, pena sob a acusação de falta de empatia. Nenhuma vítima jamais vai escutar: é sempre a mesma história. Ninguém jamais lhe cobrará explicação sobre o 'como': é somente o 'o quê', o conteúdo que importa. A história vitimária é sempre respeitável, injunge atenção, disciplina os ouvintes, rejeita *a priori* a seleção entre quem é mais ou menos capaz. No melhor dos casos, a chantagem é não intencional, nos piores, desprezível, na parte melhor, ambígua, e a qual de todo jeito é impossível escapar: provar para crer. Só resta escutar compungido, ou ter de lidar com o sentimento de culpa e a reprovação universal.

A ironia cruel é que, na "tirania da maioria" profetizada por Tocqueville, ninguém deseja ser a vítima da "reprovação universal". E, para fugir disto como o diabo foge da cruz, o homem da era da "pós-verdade" cria sua própria história, em que, de novo, retrata-se como o cordeiro prestes a ser sacrificado. O "paralogismo de curto-circuito" alimenta o "campo de distorção da realidade" onde todos vivemos. O que nos resta é nada mais nada menos que a pura alucinação compartilhada, em que há uma profunda solidariedade entre a vítima e o *storytelling*. Giglioli deixa claro, em seu estilo um tanto hermético, que, a partir deste momento,

> a história [passa a ser] um dispositivo que tende à simplificação, à totalização, a um fechar-se. Atua em regime de lógica da identidade, concordância dos casos, estrutura do descontínuo, homologação do inomogêneo; procede por seleção, combinação e eliminação dos possíveis até que não resta nenhum, a dissolução, o final, *happy end* ou catástrofe, tanto faz. Aquilo que resta fora é impingido no nada, incluindo nisso o que não recordamos, não queremos ou não sabemos dizer; ou talvez o que os outros têm a dizer sobre nós. Abandonada a si mesma, a história é proprietária e totalitária por nascimento. Não por nada a espécie humana dispõe também de outras formas de pensamento e de comunicação: o cálculo, a argumentação, a analogia, o diálogo, o discurso no sentido mais amplo do termo. Onde a história agrega e separa — minha história, nossa história, que não é sua — o discurso divide e coloca em relação. As vozes permanecem distintas, os possíveis abertos, a crítica não é apenas choque, mas enriquecimento recíproco: exatamente aquilo cuja condição de vítima isenta.

Ter a sua história particular de vítima é, acima de tudo, criar a Segunda Realidade que Robert Musil e Eric Voegelin analisaram tão bem, um mundo onde não existe mais o "princípio responsabilidade" sobre o qual Hans Jonas meditou e que tem espantosas semelhanças com o *skin in the game* de Taleb. Todos querem pagar pelo sangue derramado, mas ninguém quer pagar com o *próprio* sangue, se formos brincar com o verso de uma canção de Bob Dylan, "Pay in Blood" — não por acaso, usada como epígrafe deste capítulo. E a principal consequência disso é o esquecimento de si mesmo como ser humano — e do próximo, que será afetado por suas ações. Jonas explicava em detalhes que, desse ponto de vista, o homem não tem nenhuma outra vantagem em relação aos outros seres viventes, exceto a de que só ele também pode assumir a responsabilidade de garantir os fins próprios aos demais seres. Mas as finalidades daqueles que partilham com ele a condição humana, quer ele delas compartilhe ou apenas as reconheça nos demais, bem como o fim último da própria existência podem ser reunidos de forma singular no seu próprio fim: *o arquétipo de toda responsabilidade é aquele do homem pelo homem*. Esse primado da afinidade sujeito-objeto na relação da responsabilidade *baseia-se incontestavelmente na natureza das coisas*. Entre outros aspectos, ela significa que, por mais unilateral que seja essa relação em si e em cada situação particular, ela é reversível e inclui a possível reciprocidade. De fato, a reciprocidade está sempre presente, na medida em que, vivendo entre seres humanos, sou responsável por alguém e também sou responsabilidade de outros. Isso decorre da natureza não autárquica dos homens, e, pelo menos no que tange à responsabilidade dos cuidados parentais, todos nós a experimentamos algum dia. Nesse paradigma arquetípico evidencia-se de forma cristalina a ligação da responsabilidade com o Ser vivo. Somente o Ser vivo, em sua natureza carente e sujeita a riscos — e, por isso, em princípio, todos os seres vivos —, pode ser objeto de responsabilidade. Mas essa é apenas a condição necessária, não a condição suficiente para tal. *A marca distintiva do Ser humano, de ser o único capaz de ter responsabilidade, significa igualmente que ele deve tê-la pelos seus semelhantes* — eles próprios, potenciais sujeitos de responsabilidade —, e que realmente ele sempre a tem, de um jeito ou de outro: a faculdade para tal é a condição suficiente para a sua efetividade. *Ser responsável efetivamente por alguém ou por qualquer coisa em certas circunstâncias (mesmo que não assuma nem reconheça tal responsabilidade) é tão inseparável da existência do homem* quanto o fato de que ele seja genericamente capaz de responsabilidade — da mesma maneira que lhe é inalienável a sua natureza falante, característica fundamental para a sua definição, caso alguém deseje empreender essa duvidosa tarefa. Nesse sentido, há um dever contido de forma muito concreta no Ser do homem existente; *sua faculdade de sujeito capaz de causalidade traz consigo a obrigação objetiva sob a forma de responsabilidade externa*. Com isso, ele ainda não se torna moral, mas apenas um Ser capaz de ser moral ou imoral" [grifos meus].

Colocamos aqui a explicação minuciosa de Hans Jonas sobre a dinâmica do "princípio responsabilidade" para que o leitor saiba que isso talvez seja única coisa da qual não se pode fugir, em hipótese nenhuma, neste mundo dominado pelas ilusões do *storytelling* e pelo mecanismo vitimário do "paralogismo de curto-circuito". Quem insistir nesta fuga da realidade colocará a sociedade onde vive no caminho da ruína. A única solução para que não se caia nesta perigosa armadilha consistiria no mergulho nas profundezas do espaço incerto que existe dentro de nós, enquanto tivermos a chance de decidir sobre se somos capazes de ser morais ou imorais. E, como é provável que esta brecha possua um nome muito perigoso quando dito em voz alta — *vergonha* —, é mais provável ainda que poucos tenham a ousadia de adentrar nesses domínios obscuros.

A razão é muito simples: no "estado de exceção" em que a sociedade vive em função de uma história na qual todos são vítimas e todos acreditam na "globalização ingênua", a abolição completa da vergonha como nexo do "princípio responsabilidade" elimina a *verdadeira* vergonha que é pensar sobre "a contingência e a finitude da vida humana", como elucidou Christopher Lasch em *A revolta das elites e a traição da democracia*. Para o *scholar* americano, as pessoas que hoje vivem no ambiente público da escalada dos extremos

> não podem se reconciliar com a intratabilidade dos limites. O registro do seu sofrimento nos faz ver por que a vergonha está tão intimamente associada com o corpo, que resiste aos esforços para controlá-la e que, portanto, nos lembra, vívida e dolorosamente, de nossas limitações — a inevitabilidade da morte sobre todas as coisas. É a servidão do homem à natureza, como Erich Heller disse certa vez, que o faz sentir vergonha. "Tudo que é natureza dele [...] tudo que mostra que ele é escravo das leis e necessidades impermeáveis à sua vontade" torna-se fonte de insuperável humilhação, que pode se manifestar de maneiras aparentemente incompatíveis: no esforço para se esconder do mundo, mas, também, no esforço para penetrar nos seus segredos. O que estas reações opostas [no nosso caso, ao fato evidente de que todos somos responsáveis objetivamente por alguma coisa viva] têm em comum *é um tipo de abominação diante de tudo que for misterioso e, portanto, resistente ao controle humano*. "A vergonha", escreveu Nietzsche, "existe sempre onde houver um 'mistério'"[grifos meus].

Este "mistério" é inescapável a qualquer tipo de narrativa e a qualquer tipo de "paralogismo de curto-circuito" que nos transformam imediatamente nas vítimas que desejamos ser acima de tudo — e é este mesmo mistério que nos permite ver a nossa vergonhosa pequenez. Como bem definiu Michel de Montaigne ao final de seus *Ensaios*, nunca devemos nos esquecer de que "no trono mais elevado do mundo ainda estamos, porém, sentados sobre nosso traseiro". Quem se esquecer deste pequeno detalhe da vida pagará com o seu próprio sangue e de mais ninguém.

3.

A tirania dos especialistas

I'm gonna break my rusty cage and run.
Soundgarden, "Rusty Cage"

1.

Na palestra que deu em 1937, a convite da Federação Austríaca do Trabalho, e que depois seria transformada em um primoroso ensaio, publicado sob o título *Sobre a estupidez*, o escritor Robert Musil parte do princípio de que, por incrível que pareça, há uma relação íntima entre as benesses da inteligência e as confusões da idiotice.

Um raciocínio que deveria ser paradoxal, mas não é. Segundo o autor de *O homem sem qualidades* (possivelmente um dos maiores romances do século XX), não se pode definir exatamente o que seria a tal da estupidez porque ela corresponde "tão pouco aos hábitos do pensamento da nossa época quanto às perguntas sobre o que é o bem, a beleza ou a eletricidade", uma vez que o sujeito que pretende falar a respeito jamais admitirá para si mesmo que é também estúpido. Logo, parte-se do pressuposto de que discorrer sobre a estupidez dos outros implica em se admitir como o único inteligente, acima dos demais. Neste caso, a inteligência sempre representará uma ameaça ao mais forte que ainda não suspeita ou não descobriu a própria estupidez, pois esta não se alimenta de seu "desespero".

Na verdade, Musil acredita que a verdadeira atitude estúpida é justamente "gabar-se da sua inteligência". O inteligente que pretende esconder a própria estupidez (mesmo que momentânea) não chegou à conclusão de que isso é, sobretudo, um "distúrbio do decoro" — e de que a prática do "autoelogio fede". Tal hábito só pode ser legitimado se o inteligente fizer parte de um grupo que defenda esse tipo de visão de mundo no qual o "autoelogio" parece ser a única regra possível. Afinal, quando essas mesmas pessoas

> se sentem forçadas a falar desse assunto, parafraseiam-no falando de si: "Eu não sou mais estúpido do que os outros." Mais comum ainda é fazer a observação da maneira mais indiferente e objetiva possível: "Posso dizer que possuo uma inteligência normal." E às vezes aparece velada a convicção da própria inteligência em expressões como: "Não deixo que me façam de tolo!" E mais digno de nota ainda é que não só o ser humano individual, secretamente em meus pensamentos, se vê como bastante inteligente e bem-dotado, mas também o ser humano com atuação histórica, que tão logo detenha o poder para tal, diz ou manda dizer que ele é infinitamente inteligente, iluminado, digno, sublime, clemente, escolhido por Deus, predestinado para a história. E gosta de dizer o mesmo de outros quando se sente iluminado por seu reflexo. Em títulos e formas de tratamento como majestade, eminência, excelência, magnificência, prelado e afins, isso se conservou fossilizado e quase inconsciente. Mas se revela de novo com toda a vitalidade quando o ser humano de hoje fala como massa. Sobretudo, existe certa classe média baixa do espírito e da alma que carece de pudor diante da necessidade de presunção, assim que aparece em defesa do partido, da nação, da seita ou do movimento artístico e pode falar *nós* no lugar de *eu*.

Roger Kimball comenta, em seu ensaio dedicado a Musil na coletânea *Experimentos contra a realidade*, que, pelo fato de o austríaco haver tido uma formação técnico-científica e depois migrado para o campo das artes, era um obcecado pela busca e pela unidade entre "precisão e alma". Se, por um lado, Musil queria encontrar um rigor para as coisas que perturbavam o mundo, por outro não queria transformar essa exatidão em um irracionalismo pueril. Kimball resume bem essa atitude dúplice: "ele lutava para resgatar" tanto "o sentido da dignidade espiritual do homem dos escombros das desacreditadas

Grandes Ideias" como "o materialismo grosseiro". Ao mesmo tempo, era um homem "extremamente empírico", que surgiu como "um defensor dos valores espirituais em face de duas ameaças: o racionalismo dissecado e o irracionalismo entusiasta. O que equivale a dizer que Musil era, a um só tempo, um partidário da 'alma' e um crítico mordaz e muito divertido da 'Alma' — em maiúscula e entre aspas".

Em *Sobre a estupidez*, fica nítida essa postura de acrobata, tentando harmonizar simultaneamente os dois lados. Se não era uma atitude para demarcar a própria inteligência, tampouco era estúpida o suficiente para perturbar o decoro. Contudo, para um homem que sabia que "toda inteligência tem sua estupidez" — considerando que acreditava-se à época que ser inteligente era ser meramente competente em termos técnicos, e ser estúpido, o oposto —, é um fato que essa relação íntima e promíscua só poderia afetar a sociedade se fosse legitimada por meio de um grupo ou, o que é pior, uma *corporação* composta justamente por esses "seres humanos com atuação histórica" que criaram, aos poucos e de forma imperceptível, uma tirania sobre todos nós: a dos especialistas.

2.

O termo "especialista" é um eufemismo para outro tipo de postura diante do mundo, infinitamente mais nociva do que aparenta, e que deve ser nomeada de uma nova forma, para vermos o problema segundo as exigências de *precisão* e de *alma* ensinadas por Robert Musil.

Recentemente, o ensaísta libanês (naturalizado americano) Nassim Nicholas Taleb rebatizou o "especialista" (em inglês, *expert*) com o termo "intellectual yet idiot" (em português, *intelectual, porém idiota*, mas aqui chamado doravante pela sigla IYI). Taleb propõe, com esse apelido, a mesma relação inusitada que Musil articulara entre a declaração da inteligência e a ocultação da estupidez de quem se vangloria inteligente. Em outras palavras, não é porque um sujeito é um intelectual que deixa de ser um idiota — o que parece ser uma afirmação complicada nesses tempos de fetiche pela inteligência tanto quanto de completo desprezo pelo caráter ao qual ela está relacionada.

No livro *Arriscando a própria pele* ("Skin in the game"), temos uma lista hilária, repleta de classificações aparentemente antípodas, em que Taleb mostra quais são as principais características do IYI, que podem ser igualmente aplicadas ao Brasil, apenas com sutis variações. De acordo com suas palavras, o IYI é um típico produto da modernidade (algo já diagnosticado por Musil) que se acelerou nos últimos anos, em especial no início deste século XXI. O comportamento do IYI consiste basicamente em "patologizar" tudo aquilo que não consegue entender nos outros, sem admitir o fato de que foi o *seu* entendimento das coisas que se tornou limitado.

Ele pensa que as pessoas devem agir com base no *Bem Comum* e no melhor interesse do que seria este *bem*, com o detalhe de que o IYI é o único que sabe o que seria isto. Daí por que mal compreende o que acontece quando a sociedade age contra o que seriam esses interesses. Como reação, passa a chamá-la de "deseducada" ou então com o nome do momento — "populista".

A "democracia", segundo sua concepção, só existe quando as pessoas aceitam os termos dele. E, claro, tudo isso sancionado pela relação direta que há entre um voto e uma vaga em qualquer repartição corporativa — de preferência, uma universidade de elite. No caso do Brasil, uma universidade pública como a USP, que treina os meninos ricos a serem futuros IYIs travestidos de militantes políticos, ou uma faculdade particular como o Insper ou a Fundação Getúlio Vargas, que os aprisiona ainda mais em suas bolhas cognitivas.

Taleb identifica o IYI internacional a partir de alguns padrões de consumo e hábito: assina a *New Yorker* (aqui, é um *habitué* da *Folha de S. Paulo* durante a semana e do *Estadão* e da *Veja* aos domingos); acha que xingar nas redes sociais é falta de educação (aqui, alega que "não está disposto a entrar no debate"); fala de "igualdade racial" e de "igualdade econômica", mas jamais conversou com um motorista de táxi (no Brasil, chega-se ao ponto de nunca conversar com a própria empregada doméstica); acredita que Tony Blair foi um grande estadista (o mesmo ocorre, por estas bandas, quando falam de Lula ou de Fernando Henrique Cardoso, sem saber que ambos são farinha do mesmo saco, ou ousam citar Getúlio Vargas como alguém que colaborou para "o desenvolvimento do país"); as únicas palestras que assiste são no estilo TEDx (no Patropi, podem ser adicionados os eventos da Casa do Saber e qualquer cópia malfeita dela, que já é terrível por si própria); não apenas vota em qualquer membro do Partido Democrata (como Hillary Clinton) porque avalia que quem vota em Donald Trump é perturbado mentalmente, mas também porque sabe que não tem como escapar de seu próprio círculo vicioso psíquico (o mesmo paralelo pode ser feito entre nós quando se opta por qualquer político do PSDB em oposição ao PT ou vice-versa, razão pela qual não se consegue entender, sob nenhuma hipótese, o surgimento de um Jair Bolsonaro, um patrimonialista disfarçado de liberal); confunde ciência com cientificismo (nas nossas universidades, existem professores que realmente acreditam que o "aquecimento global" é um fato e Al Gore, um sujeito sério); é incapaz de refletir sobre as consequências imprevisíveis de suas ideias e ações; não sabe qual é a diferença entre a ausência de evidência e a evidência de ausência; suas previsões estão erradas sobre absolutamente tudo — stalinismo, maoismo, petismo, Iraque, Líbia, Síria, lobotomia, planejamento urbano, *jihad* global, panorama eleitoral — e, mesmo assim, pensa que está absolutamente certo sobre tudo o que comenta; integra um clube de membros privilegiados; não sabe usar estatísticas porque acredita que são uma descrição do mundo real; vai aos festivais literários (por aqui, ir à Flip é um atestado pleno de que se trata de um IYI); adora uma intervenção médica quando esta não é necessária; estuda gramática antes de aprender uma língua (algo comum nas redes sociais tupiniquins, em especial entre os que compõem este gênero mórbido conhecido como Nova Direita, a "República do COF" instituída pelas instruções de Olavo de Carvalho); tem sempre um parente que trabalhou com a rainha da Inglaterra ou com o presidente dos Estados Unidos (no Brasil, o trunfo é ser parente de algum membro do Judiciário); nunca leu John Gray, Michael Oakeshott e Joseph De Maistre (no Febeapá é pior: quando alguém lê ou ensina os escritos desses pensadores, como é o caso daquela turma que promove apenas o "estado da arte" das baboseiras, logo os classifica como "conservadores", "reacionários" ou "de direita" — ou, particularmente sobre Gray, "bastião do pensamento liberal esclarecido", seja lá o que for isso); nunca ficou bêbado com um russo (é o meu caso); jamais sabe o que é Hecate e o que é Hecúba (eu era assim até os dezoito anos); sempre menciona física quântica pelo menos duas vezes em uma conversa que nada tem a ver com a disciplina mencionada (da minha parte, mal sei o que é física, muito menos quântica); sempre sabe que, mais cedo ou mais tarde, suas ações ou ideias podem prejudicar a sua reputação e, portanto, coloca esta em primeiro lugar (quanto a mim, não tenho nenhuma reputação a zelar); e, *last but not least*, nem sequer pratica levantamento de peso (o que eu tampouco faço, mas insisto em caminhar todos os dias depois de escrever livros como este que o leitor tem em mãos. Será que isto me deixa fora desta classificação? Suspeito que não).

Agora, deixemos o tom satírico de lado para seguir um outro conselho de Taleb. O problema com o IYI dos nossos dias — enfim, com o especialista que é um estúpido, se voltarmos a Musil — é que ele não sabe mais fazer a distinção entre a letra da palavra e qual é o espírito que a anima. Como diz Paul Johnson, no seu arrasador *Os intelectuais*, a questão principal para qualquer um que decidiu se dedicar à nobre vocação de dar vida ao próprio intelecto é saber como jamais substituir um ser humano concreto por uma abstração conceitual, trocando a realidade por uma ideia. Os IYIs pensam apenas em termos ocos, vazios, como *democracia, populismo, educação, racismo, igualdade, evidência, racional*, e por essa mesma razão são capazes de fugir de qualquer espécie de responsabilidade perante os próprios atos. Quando alguém aborda justamente esse *pecadillo*, logo se armam de vítimas, enganando a todos por meio do "paralogismo de curto-circuito" já descrito por Daniele Giglioli, portanto ampliando ainda mais o "campo de distorção da realidade" que também contamina os seus pares.

É mais do que uma doença mental. É uma *pneumopatologia* que se estende pelo resto da sociedade, que não depende diretamente desses sujeitos, mas que se deixa influenciar por suas ideias (o caso específico da elite econômica) graças ao "clima de opinião" que impede que se alcance uma orientação adequada. É a tirania de uma minoria, sem dúvida, mas uma minoria que tem a força e o poder de dominar a maioria justamente porque esta permite que assim seja. O motivo desse fenômeno é deveras simples: essas pessoas aparentemente bem-educadas têm a ilusão de que precisam ser governadas por alguém aparentemente superior.

A gênese desta ideia estaria em Platão, mais especificamente no diálogo *A República*, na famosa parte em que Sócrates defende que a *polis* deveria ser comandada por um "rei-filósofo" e seus asseclas — os guardiães. De acordo com Robert A. Dahl, em *A democracia e seus inimigos*, o governo dos guardiães, a *guardiania*, seria sempre uma perene alternativa ao regime democrático atual porque, "segundo essa concepção, é absurdo imaginar que se possa confiar que as pessoas comuns entendam e defendam seus próprios interesses, quanto mais os interesses da sociedade em geral".

Essa "atração poderosa ao longo da história da humanidade" de que uma minoria saiba exatamente o que o resto da sociedade deseja não veio apenas de Platão, pois dominou também as ações de Confúcio, os tratados de Marx e Engels, os manifestos de Lenin e as terapias behavioristas de B.F. Skinner. Apesar de serem homens marcantes de nossa trajetória espiritual, também tinham, como todos nós, seus lances de IYI. Confundiam a competência técnica e instrumental relativa a seus respectivos temas de estudo, sobre os quais tinham absoluto controle (arte de governar, economia, psicologia, filosofia etc.), com a competência moral a respeito do que certamente seria o *Bem Comum* para os outros. Por isso, não à toa se consideravam "especialistas" cuja missão seria determinar o curso de um país.

Porém, não é apenas a questão da especialidade que incomoda — é também o fato de que os IYIs têm a crença absoluta de que o seu conhecimento técnico e instrumental consiste na garantia de progresso para a humanidade. Ou seja: sem eles, jamais chegaríamos às notáveis inovações que hoje fazem a nossa alegria. É aqui que a observação de Robert Dahl sobre a origem da *guardiania* nos escritos de Platão se mostra equivocada. O filósofo grego nunca sobrepôs o conhecimento técnico em detrimento do conhecimento moral. Na verdade, este último era o único conhecimento que bastava — e a filosofia, um método ascético para alcançá-lo, e que, no fim, sempre viveria em constante tensão com a ação política, como o próprio deixa claro não só em *A República*, mas, sobretudo, em seu último diálogo, *As Leis*.

Para sermos mais exatos, se levarmos em conta que *A República* não é uma obra sobre uma utopia, mas, sim, sobre seu contrário — entenda-se: sobre um governo que não tem como ser efetivo simplesmente porque composto de *logoi*, de palavras —, fica claro que Platão acreditava em uma *guardiania* que nascia espontaneamente e que tinha como meta suprema a *paideia*, a educação da alma, para se chegar à *eudaimonia*, a bem-aventurança.

Esse percurso filosófico seria corrompido na modernidade, com o seu germe instalado no humanismo cristão, por meio dos escritos de Erasmo de Rotterdam e Thomas More (este, exceto na última fase de sua vida), e depois levado aos limites da loucura pelos *philosophes* franceses, como Diderot e Barão de Holbach, além de um polemista suíço chamado Jean-Jacques Rousseau. Para esses sujeitos, o conhecimento técnico e instrumental era fundamentado pelo uso da razão humana que, por sua vez, suplantava o conhecimento moral sobre o que seria o bem e o mal — obviamente, desde que passasse pelo filtro do pensador ao qual, claro, caberia decidir o que era um e o que era o outro. Eis aqui o começo dos nossos IYIs.

A diferença essencial entre os guardiães de Platão e os modernos é que os primeiros pretendiam libertar o homem interiormente enquanto os outros usavam do conhecimento e da inteligência individual para a construção de um projeto de poder que dominaria e — mais — *alteraria* a natureza humana.

Atualmente, na nossa era repleta de tecnologia interconectada e de intervencionismo estatal (um assunto fomentado pelos IYIs, como veremos em breve), este projeto de poder se transformou em uma fortaleza integrada dedicada à expansão das forças progressistas, uma *catedral* (de acordo com a terminologia de Mencius Moldbug), que controla absolutamente todas as instâncias do saber, como as universidades, a imprensa, a cultura e as instituições governamentais — tudo em função dessa mentalidade totalitária que pretende controlar o homem a qualquer custo.

As consequências disso são terríveis. Em primeiro lugar, porque ninguém sabe o que provocará para os cidadãos que não vivem dentro dessa bolha cognitiva — ou seja, as pessoas normais que sequer ousam ser IYIs. Em segundo lugar, porque esses sujeitos brincam com algo que não pode ser reduzido a uma abstração — no caso, a própria definição do que seria a inteligência (e, por sua vez, do que seria a tal da estupidez). Eis, por exemplo, o argumento principal de um livro perturbador, *The Bell Curve*, publicado em 1994, de autoria de Charles Murray (cientista político) e Richard Herrnstein (psicólogo behaviorista), e que apresenta semelhanças assustadoras com o diagnóstico feito por Christopher Lasch em *A revolta das elites e a traição da democracia*, de 1996.

O primeiro livro foi criticado erroneamente por aquilo que não é. Seus acusadores alegaram que seria uma obra racista, uma vez que faria a relação entre raça e inteligência ao falar da existência de uma divisão extrema de classes na sociedade americana, fundamentada nas habilidades cognitivas de seus cidadãos. Para Murray e Herrnstein, a inteligência é um "dom", um "mistério", um "lance de sorte" que muito provavelmente tem uma origem genética ou, em alguns casos, circunstancial, e que pode ser desenvolvida ou refreada conforme o ambiente social em que se vive. Contudo, os dois pesquisadores não caem no determinismo de carteirinha. A partir da leitura correta dos gráficos e das estatísticas, eles mostram que, justamente por ser a inteligência um fator que depende do acaso, os membros privilegiados daquilo que os autores chamam de "classe cognitiva" teriam a obrigação moral de auxiliar os que fazem parte da classe menos desenvolvida e provocar o seu desenvolvimento educativo e social de maneira adequada.

A inteligência é um "dom", sem dúvida, mas um "dom" que também pode ser incrementado ou, em caso de falta, substituído por outras habilidades que ajudariam no sustento dos menos privilegiados. Não é o que ocorre. *The Bell Curve* afirma que a "classe cognitiva" teria se isolado para preservar as benesses da inteligência, sem reparti-las com os demais, em especial os pobres e os necessitados, entrando em um círculo vicioso que, de modo a diminuir a culpa, transforma-se no poder progressista de alimentar um Estado paternalista que, no fim, precisa deformar a natureza humana para se manter intacto.

Murray e Herrnstein descreveram precisamente o funcionamento da *catedral* diagnosticada por Moldbug e o modo como "a revolta das elites" vista por Lasch transformou para pior o funcionamento da nossa sociedade democrática. No fundo, não somos dominados pela suposta aleatoriedade da nossa inteligência, e sim pelas pessoas que tentam controlar o rumo dessa incerteza. A *catedral*, a "classe cognitiva" e as elites revoltadas são prismas de um mesmo problema. Trata-se da "tirania dos especialistas" que, no fundo, só se preocupam com a manutenção de seu poder, mesmo que continuem com o comportamento de idiotas que conduzem outros idiotas — no caso, nós, pobres mortais.

3.

Em um livro chamado justamente *The Tyranny of Experts: Economists, dictators and the forgotten rights of the poor* (lançado em 2014 e usado aqui sem pudor para nomear este livro, um hábito de muitos IYIs, entre os quais me incluo, sem dúvida), o cientista político William Easterly descreve os supostos pontos teóricos que mostrariam onde está o erro dos IYIs que pretendem decidir sobre o nosso futuro e o nosso bem-estar.

Segundo o raciocínio de Easterly, a abordagem convencional desses senhores, especialmente nas áreas do desenvolvimento econômico e das políticas públicas, é baseada em uma ilusão tecnocrática — isto é, a crença de que a pobreza e a desigualdade social são problemas puramente técnicos que podem ser remendados por meio de soluções igualmente técnicas. Graças a esta ilusão, os especialistas dão, de maneira involuntária, novos poderes e uma legitimidade ao Estado como o único que aplicará essas soluções técnicas.

Em geral, este "círculo dos sábios" é composto por economistas que têm uma ingenuidade ímpar em relação aos assuntos do poder, notadamente ao acreditarem que este último sempre ficaria sob seus domínios, de acordo com o controle exercido pelo seu conhecimento instrumental. Assim, Easterly afirma que, se antes tínhamos o "direito divino dos reis", agora temos o "direito de desenvolvimento dos ditadores", justificado por um desenvolvimentismo autoritário, uma tecnocracia que, no fim, pretende mostrar que deveríamos ser "comandados pelos especialistas".

O resultado evidente disso é que esses mesmos especialistas, movidos por suas abstrações, passam a violar os direitos individuais dos pobres, dos necessitados, e depois da classe média, até atingirem justamente aqueles que os sustentam: a elite econômica. Os IYIs se esquecem de que os problemas técnicos associados aos pobres, como a fome, a falta de assistência sanitária e a segurança, são um *sintoma* da pobreza; não uma *causa* da pobreza.

O motivo desta tragédia contemporânea que vivemos, nas palavras acertadas de Easterly, é que a "tirania dos especialistas", ao justificar o poder do Estado para executar suas sofisticadas loucuras, permitiu a completa ausência de direitos políticos e econômicos, vazio que encontra raiz no descaso pelos direitos individuais de cada cidadão, substituídos por uma consciência coletiva que vê o ser humano igual a uma estatística.

Um exemplo deste tipo de abstração conceitual perigosíssima é a eterna discussão sobre conflito entre o Estado e o mercado — algo muito comum no Brasil, principalmente na "classe cognitiva" dos *soi-disant* liberais e libertários. O que esse pequeno grupo não percebe é que a própria existência desta discussão fortalece ainda mais o poder estatal, pois o que está em jogo não é a regulamentação do mercado pelo Estado ou o afrouxamento das leis para permitir o respiro da "mão invisível". O risco está em se esquecer do óbvio ululante de que, seja lá qual for o lado vencedor neste debate infinito, qualquer Estado é capaz de violar os direitos de indivíduos particulares sem ter qualquer perspectiva de ser punido. Além disso, é o líder do Estado que decidirá, graças às leis, o que significa uma política de "mercado". Portanto, a função dos IYIs é criar uma teoria requintada que justifique tamanha espoliação.

Deve-se observar que não estamos condenando os especialistas por si, muito menos defendendo o anti-intelectualismo em favor de uma sabedoria prática do "senso comum". O que se discute aqui é a completa falta de suspeita, de parte dos IYIs, sobre as próprias ideias, como se estivessem imunes aos labirintos do poder. Não estão. É só lembrar o que aconteceu na Alemanha nazista na década de 1930. Sem os intelectuais, não existiria Hitler. O historiador Richard J. Evans conta em detalhes impressionantes, no seu livro *A chegada do Terceiro Reich*, como "a maioria dos professores alemães permaneceu nos cargos [universitários]". Eles compartilharam em muito a visão dos parceiros nacionalistas da coalização de Hitler de que a democracia de Weimar tinha sido um desastre e que estava mais que na hora da restauração das velhas hierarquias e estruturas. Muitos, porém, iam além disso e positivamente saudaram o Estado nacional-socialista, em especial se lecionavam ciências humanas e sociais. Em 3 de março, cerca de trezentos professores universitários emitiram um apelo aos eleitores para que apoiassem os nazistas, e em maio nada menos que setecentos integraram um abaixo-assinado em favor de Hitler e do Estado nacional-socialista. Na Universidade de Heidelberg, o sociólogo Arnold Bergsträsser justificou a criação pelo regime de unidade entre Estado e sociedade como sendo uma forma de superar o fracasso patente da democracia; enquanto isso, o advogado Walter Jellinek defendeu a "revolução" de 1933 como antiliberal mas não antidemocrática e declarou que os cidadãos adquiriam a dignidade de ser plenamente humanos apenas por meio da subordinação ao Estado. Membro do Partido Popular Alemão e um forte oponente de direita da República de Weimar, Jellinek concordava que as medidas antijudaicas do regime eram necessárias devido à superlotação da classe acadêmica. Também achava — pressagiando a visão de historiadores posteriores — que o poder de Hitler seria limitado pela existência de outros centros de poder no Reich. Mas, onde quer que isso pudesse ter acontecido, não foi o caso da política do regime em relação aos judeus; na verdade, Jellinek era judeu, e, por isso, foi devidamente removido de seu cargo no decurso da revolução nacionalista que ele tão calorosamente havia recebido. Outros professores da mesma faculdade reivindicaram que a lei fosse a expressão da alma do povo, e que os juízes dessem seus vereditos de acordo com a ideologia nazista. Um professor de alemão declarou que a revolução nazista havia dado novo sentido patriótico ao estudo da língua alemã. Condenou o "pensamento judaico" e a "literatura judaica" por minar a "vontade de viver" alemã.

A mesma coisa aconteceu na União Soviética. Não só intelectuais, professores e juristas se fecharam em uma "espiral do silêncio" para deixar Stalin em pleno domínio das suas existências mesquinhas, mas também os artistas — entre eles, o músico Dmitri Shostakovich, uma trajetória brilhantemente dramatizada por Julian Barnes em seu romance, *O ruído do tempo*.

Independentemente da discussão que ocorre entre os *scholars* de música erudita, ao afirmarem que o russo usava de estruturas musicais repletas de ironia para marcar sua verdadeira posição diante do regime comunista, o que interessa a Barnes é o modo como um sujeito genial pode criar ilusões sofisticadíssimas para conseguir viver consigo mesmo em um ambiente de plena brutalidade política.

Na perspectiva do Shostakovitch ficcional, tudo vale a pena em nome de sua criação artística, mesmo que recorra à desculpa de ser um "técnico da sobrevivência", ou então que não admita para si mesmo ter sido um pusilânime ao negar publicamente sua admiração por Igor Stravinski. Barnes descreve explicitamente esse arranjo como uma "destruição da alma humana", na qual a vida deixava de ser "um passeio no campo", com a tal da alma podendo ser "destruída de três maneiras: pelo o que os outros faziam; pelo o que os outros obrigavam a fazer; e pelo que alguém escolhia voluntariamente fazer. Qualquer um desses métodos era suficiente; embora o resultado fosse irresistível quando todos os três eram combinados".

A combinação desses três métodos é o prato favorito dos nossos atuais IYIs, como se pode verificar a partir do lançamento recente de um livro que parece servir apenas como defesa dessa corporação de luminares — uma besteira chamada *The Death of Experts*, de Tom Nichols, um suposto especialista em cultura russa, mas que, ao fim de seu pequeno tratado, confessa, sem qualquer constrangimento, a sua previsão equivocada, no início dos anos 2000, de que a Rússia se aproximaria da democracia com o surgimento de... Vladimir Putin.

No fundo, a tese de Nichols é a mesma de Mario Vargas Llosa, cujo argumento, em seu infinitamente superior *A civilização do espetáculo*, é que o especialista, ou o que o escritor peruano chama de "intelectual público" (no fundo, duas variações do IYI), está com o seu prestígio seriamente abalado na sociedade moderna porque as pessoas comuns não precisam mais de seus serviços. Aqui vão as palavras de Vargas Llosa, pelo simples motivo de que explicam melhor a situação do que o livro pueril de Nichols:

Em nossos dias, o intelectual desapareceu dos debates públicos, pelo menos dos que importam. É verdade que alguns ainda assinam manifestos, enviam cartas a jornais e se metem em polêmicas, mas nada disso tem repercussão séria na marcha da sociedade, cujos assuntos econômicos, institucionais e até mesmo culturais são decididos pelo poder econômico e administrativo e pelos chamados poderes de fato, entre os quais os intelectuais são ilustres ausentes. Conscientes da posição secundária a que foram reduzidos pela sociedade na qual vivem, sua maioria optou pela discrição ou pela abstenção no debate público. Confinados em sua disciplina ou em seus afazeres particulares, dão as costas àquilo que há meio século se chamava de "compromisso" cívico ou moral do escritor e do pensador contra a sociedade. Há exceções, mas, entre elas, as que costumam contar — porque chegaram à mídia — estão mais voltadas para a autopromoção e o exibicionismo do que para a defesa de algum princípio ou valor. Porque, na civilização do espetáculo, o intelectual só interessa se entrar no jogo da moda e se tornar bufão.

O erro mortal de Vargas Llosa e Tom Nichols está em não perceberem — talvez por interesse próprio — que o intelectual faz parte, sim, da estrutura dos "poderes de fato". E mais: ele *é* a estrutura que fundamenta tal tipo de poder que não preserva qualquer espécie de direito individual.

No fundo, o que os diagnósticos do peruano e do americano expressam é o temor de perder os seus respectivos empregos na *catedral* dos IYIs. Segundo os autores, a solução para manter alguma pureza de espírito é fugir de uma vez por todas rumo a uma "torre de marfim" — como fez, aliás, o falecido filósofo inglês Derek Parfit, um gênio que parece ter saído de várias páginas escritas pelo padre A.D. Sertillanges, tamanho o seu medo de perder a dignidade do pensamento diante da aspereza do real. Em "O jargão da crítica e a autenticidade da vida intelectual", um brilhante artigo sobre a vocação da vida do espírito (e que usa Parfit como exemplo), escrito pelo professor de filosofia Gabriel Ferreira, mostra-se que o comportamento do inglês seria uma meta ideal para a restauração de uma "terapia do debate". Ao mesmo tempo, Ferreira sabe que esse tipo de atitude é "uma dupla pedra de tropeço [...] porque duas das mais recorrentes modalidades de análise e crítica da universidade — e aqui quero me ater, fundamentalmente, às humanidades na universidade — encontram em Parfit, e em outros como ele, um obstáculo, senão um retumbante desmentido, a seus pareceres".

Essas "duas espécies de exame crítico acerca das relações entre a vida intelectual e a academia" passam pelo fato de que o debate se tornou completamente viciado tanto na universidade como também nos meios que a criticam — por sua vez, igualmente compostos por IYIs. Derek Parfit é um modelo a ser seguido, mas também é a exceção à regra porque, atualmente, poucos intelectuais, sejam de esquerda ou de direita, têm fôlego para produzir os três tomos gigantescos da última obra do inglês, chamada ironicamente de *On What Matters* ("Sobre o que importa"). De acordo com Ferreira, a situação é tão estéril que

> ficamos então entre o pior de dois mundos. De um lado, uma autocrítica preguiçosa que critica o cisco, mas deixa passar a trave do afastamento de sua vocação e impulso primeiros. De outro, um mau diagnóstico externo que incorre no mesmo engodo que pretende denunciar, ou seja, em benefício próprio — seja para vender-se, seja para inflar o ego —, ignora solenemente qualquer distinção entre o joio e o trigo. Os dois lados são, portanto, vítimas de um jargão que se repete quase de maneira autômata: o jargão da má academia. Cada um a seu modo, acadêmicos e contra-acadêmicos remodelam tal jargão da crítica para que ele aponte para nada além do que, para ambos os lados, atende a seus interesses.

A angústia de Gabriel Ferreira é a mesma daqueles que se deixaram ficar reféns da "tirania dos especialistas". No final do texto, ele se pergunta: "O que fazer da autêntica vocação à vida intelectual em nosso mundo?" Em um ambiente onde a inteligência e a estupidez se transformaram em "dons" do acaso, como o pobre coitado que deseja dedicar-se ao que realmente importa não se tornará, voluntaria ou involuntariamente, um IYI?

4.

Não foi à toa que Robert Musil mostrou que essa ambição desmesurada do intelectual "não é tanto uma falta de inteligência, porém muito mais sua falha, porque tem pretensão de desempenhar o que não lhe compete". Assim, o IYI, ou o estúpido que se julga inteligente, nas palavras do austríaco, pode ter em si todas as características de um intelecto fraco, mas tem também todas que são causadas por qualquer afetividade em desequilíbrio, disforme, fraca, com mobilidade irregular, em suma, toda aquela que se desvia da saúde. Como não existem afetividades "padronizadas", nesse desvio se expressa, mais precisamente, uma interação insuficiente entre as parcialidades do sentimento e um intelecto que não basta para refreá-las. *Essa estupidez superior é a verdadeira doença da educação* (esclarecendo um mal-entendido, ela significa deseducação, educação deformada ou errada, desproporção entre matéria e força da educação) e descrevê-la é quase uma tarefa infinda. *Ela atinge até a mais alta intelectualidade; pois, se a autêntica estupidez é uma artista silenciosa, a inteligente é a que colabora com a agitação da vida intelectual*, mas de preferência em sua instabilidade e esterilidade. Há muitos anos escrevi sobre ela: "Não há nenhum pensamento importante que a estupidez não saiba aplicar, ela se move em todas as direções e pode vestir todas as roupas da verdade. A verdade, ao contrário, tem apenas uma roupa em qualquer ocasião, um só caminho, e sempre está em desvantagem." A estupidez a que nos referimos aqui não é uma doença mental, porém a doença mais perigosa da mente, perigosa para a própria vida. *Decerto cada um de nós deveria rastreá-la dentro de si mesmo e não somente reconhecê-la em suas irrupções históricas* [grifos meus].

Entretanto, ao reconhecer a estupidez inteligente em si mesmo, é fundamental também localizar a responsabilidade ante os próprios atos — e, se você for um IYI, ante suas ideias. Se a grande tragédia de nossos dias é o fato de que esses especialistas prejudicam nossos direitos individuais, isso ocorre porque eles não respondem mais pelos conselhos que deram à sociedade onde vivem. E esta deveria ser a ação fundamental para acabar com a jaula enferrujada que nos sufoca.

Já a segunda restrição a este "círculo dos sábios" surge de outra sugestão dada por Musil: como o

nosso conhecimento e nossa sabedoria são incompletos, somos obrigados a emitir juízos prematuros em todas as ciências, mas com esforço aprendemos a manter esse erro dentro dos limites conhecidos e ocasionalmente corrigi-los. Através disso, a correção reaparece em nosso agir. Na verdade, nada impede que se transfira para outra área esse julgamento e agir exatos, ao mesmo tempo, orgulhosos e humildes, e acredito que a intenção 'Aja tão bem quanto puder e tão mal quanto for necessário, e tenha consciência dos limites de erro de seus atos!' seria já meio caminho andado para um modo de vida promissor.

O que Musil repete aqui é o mesmo bordão escrito por Michel de Montaigne no famoso ensaio *Apologia de Raymond Sebond*: "Que sais-je?" O que eu sei? Quase nada. Esta é a resposta — algo de que, infelizmente, graças ao progresso da tecnocracia, os IYIs se esqueceram completamente.

A humildade de entender que sabemos muito pouco e a responsabilidade para assumir as consequências de nossos atos são os dois pilares de sabedoria que ajudariam a manter a sociedade atual um pouco mais saudável. Mas, além disso, pode haver um terceiro, mais ousado e, no fundo, mais divertido. Trata-se daquilo que o escritor americano Mark Manson chamou de "the subtle art of not giving a fuck" — a sutil arte de ligar o "foda-se", em bom português.

O estúpido inteligente é, na verdade, alguém que só entra no jogo do poder porque se importa com a própria reputação. Tire-lhe isso e o IYI passará a ser um fodido. Se as pessoas normais são vítimas da "tirania dos especialistas", esses pobres-diabos são reféns de sua "tirania" particular — a do status e do prestígio. Destrua esse frágil alicerce e o castelo se revelará feito de areia. Hoje, dar um "foda-se" a tudo que está aí requer uma coragem incalculável. Mas, quem sabe, ao iniciarmos a fuga da jaula que criamos para nós mesmos, descobriremos que essa sutil arte não é algo assim tão difícil?

4.

Em busca do *eros* perdido

"No *eros* começam as responsabilidades." Eis a grande lição filosófica da obra de Mark Lilla, autor de dois livros fundamentais para se entender o que ocorre agora no Brasil e no mundo — *A mente imprudente: os intelectuais na atividade política* e *A mente naufragada: sobre a reação política*.

A frase acima é uma referência irônica a dois sujeitos que sempre viram como óbvia a relação entre vida política e vida do espírito. O primeiro, W.B. Yeats, que, com seu famoso bordão "nos sonhos começam as responsabilidades", foi, além de poeta, senador na Irlanda independente em 1922, sabedor de que a confusão do parlamento era mais uma amostra daquele "fascínio pelo que é difícil" típico de quem gosta de se intrometer nos assuntos dos homens. O segundo, ninguém menos que Platão, o filósofo a quem todos os filósofos posteriores devem se curvar, e que afirmava que o ser humano era dominado por uma paixão demoníaca — o *eros* — que o podia elevar às alturas ou, se não possuísse autodomínio suficiente, fazer com que se comportasse como o mais vil dos animais.

Mark Lilla narra a tensão erótica que se impõe quando os intelectuais praticam duas coisas extremamente perigosas — e que sempre foram as preocupações de um Yeats ou de um Platão, ambos, por coincidência, possuídos por seus demônios autoritários. Tal tensão se manifesta no momento em que esses guardiães do "anseio pelo Belo" esquecem-se das suas responsabilidades concretas ao defenderem, direta ou indiretamente, tiranos de esquerda ou de direita, destruidores de vidas humanas — e também ao resolverem, justamente para permanecerem nessas realidades alternativas, enquadrar todo o curso da História em uma única corrente narrativa que reduziria a complexidade da nossa experiência neste mundo.

Para Lilla — nascido em Detroit, em 1956, e discípulo de renomados professores como Daniel Bell e Irving Kristol —, tanto na vida política como na vida filosófica, o filósofo e o tirano estão ligados pela força de *eros*, como se num "perverso truque da natureza". É esta conexão secreta que dá sentido aos ensaios que contam as trágicas (e aparentemente díspares) histórias de Martin Heidegger, Hannah Arendt, Karl Jaspers, Carl Schmitt, Walter Benjamin, Alexandre Kojève, Michel Foucault e Jacques Derrida — todos personagens de *A mente imprudente*, indivíduos de pensamento seduzidos pela "filotirania" para justificar seus erros extremamente sofisticados. Na verdade, foram vítimas e, ao mesmo tempo, algozes daquilo que Eric Voegelin chamava de *pleonexia* — o desejo de poder, misturado ao desejo de conhecimento, que faz o filósofo cair na ilusão de que, por meio de suas ideias, pode transformar a Terra em uma "casa bem-arrumada".

Quinze anos depois de ter publicado *A mente imprudente* (lançado em 2001, dois dias antes do 11 de setembro), Lilla aprofundou-se nas características específicas deste drama com *A mente naufragada* (2016). Se, no livro anterior, a loucura de *eros* impulsionava a destruição lógica provocada por um pensamento rebuscado, agora a força demoníaca se aventurava sobre o modo como construímos as nossas narrativas históricas. Usando a imagem do rio Nilo, Lilla descreve a História como uma série de estuários que se dirigem para um único fim — o oceano. O naufrágio espiritual acontece quando o intelectual estreita o curso do rio em um único afluente e se preocupa somente com as ruínas de um passado inexistente, mas que, ainda assim, influenciará um futuro inatingível.

A reação ideológica, algo comum às mentalidades de direita e de esquerda ansiosas pelo "novo tempo do mundo", vem justamente deste tipo de comportamento. Lilla não hesita em incluir aí grandes nomes desta tradição alternativa ao *status quo* acadêmico, como Franz Rosenzweig, Eric Voegelin e Leo Strauss, que, de uma forma ou de outra, sofriam da "nostalgia política", igual a Dom Quixote. Contudo, ao contrário do que fazem outros intelectuais liberais que desprezam essa linha de reflexão (e dos quais Lilla é um integrante orgulhoso), o autor de *A mente naufragada* analisa esses "reacionários" com a mesma delicadeza que dedica aos "filotirânicos" em *A mente imprudente*. Seu intento é compreendê-los na sua tensão erótica, sem julgamento de caráter, e é dessa forma que, por exemplo, também consegue fazer excelentes introduções, para o leitor comum, às obras intrincadas de um Voegelin ou às de um Heidegger.

O que Mark Lilla redescobriu de fato foram os princípios de uma filosofia política esquecida há muito tempo — e que nos afetam até hoje. Usando dos conceitos das mentalidades imprudente e naufragada, podemos examinar fenômenos recentes da política nacional e internacional — desde o "Make America Great Again" de Donald Trump (um exemplo clássico de "nostalgia reacionária"), passando pelo caso de "morde e assopra" entre Jair Bolsonaro e Olavo de Carvalho (a "imprudência" encarnada ora na retórica nacionalista, ora na retórica da "política da fé"), até chegarmos à pretensa sofisticação de um Roger Scruton ou de um John Gray, um pensador conservador e outro liberal, mas que mostram suas limitações espirituais ao não admitirem que nós podemos vencer a força demoníaca do *eros* por meio da consciência de nossa imortalidade (como provam os livros-síntese de cada um, respectivamente *A alma do mundo* e *A alma da marionete*).

Nesta "busca pelo *eros* perdido", Lilla pretende mostrar que fazer filosofia política no século XXI é, antes de tudo, aceitar as coisas como são — mesmo que isto implique admitir a verdadeira tragédia de nosso tempo: a de que estamos abandonados, sem guia para nos orientar, e que, como diria o poeta inglês Geoffrey Hill, "Deus é difícil, distante", pois "as coisas [neste mundo] simplesmente acontecem". Ter noção deste "desprendimento" — para usarmos um termo do grande náufrago *avant la lettre*, Mestre Eckhart — é fundamental se não quisermos cair nas ilusões "filotirânicas" do desejo de poder ou nas alucinações coletivas de ser o próximo Dom Quixote.

Neste ponto, ressalte-se o detalhe de que Lilla não está preocupado somente com a perversão erótica dos intelectuais ocidentais. Para ele, uma das evidências mais explícitas da mente naufragada está no "islamismo radical". Partindo de uma análise magistral do romance *Submissão*, de Michel Houellebecq, Lilla identifica, neste tipo de comportamento naufragado, a estrutura-matriz da "nostalgia política" que domina os outros estratos da nossa sociedade. Em geral, o islamista quer restaurar uma Idade de Ouro que não tem como ser recuperada; e, ao saber disso, para escapar desta "ignorância" (*jahiliyya*), precisa impor sua visão de mundo como a única possível de ser realizada. Como, porém, a realidade se estabelece e o impede de avançar, opta pela violência política, com os ataques terroristas de praxe, prática que, em longo prazo, forja aos poucos uma "comunidade de sofrimento" que ocupará, quando menos se espera, todo o globo terrestre.

Aqui, o Cavaleiro da Triste Figura anda de mãos dadas com o Califa Nostálgico. E, quando a imprudência e o naufrágio espiritual se encontram na vida política, o que temos é o pesadelo do qual tentamos despertar — o que James Joyce apelidava de "História", mas que pode muito bem ser a nossa própria existência. Com seus livros precisos e elegantes, Mark Lilla nos orienta sobre como sobreviver neste caos que nos consome, sem perder de vista a esperança de que talvez a força benéfica do *eros* filosófico ajude-nos a assumir nossas verdadeiras responsabilidades.

5.

A tragédia da política

> *I saw the best minds of my generation destroyed*
> *by madness, starving hysterical naked.*
> Allen Ginsberg, "Howl"

1.

Já não há mais decisões políticas corretas. Houve tempo em que podíamos percebê-las em um Sólon, durante a crise ateniense da Antiguidade; ou então em um Winston Churchill, quando o primeiro-ministro inglês conseguiu engajar a Inglaterra em uma "guerra das palavras" que motivou a nobre Albion contra o Terceiro Reich de Adolf Hitler. Havia uma certa consolação nessas decisões; conseguíamos perceber a prudência que equilibrava não só as palavras e as coisas, mas sobretudo as ações e os discursos.

A política tinha uma unidade cifrada e multifacetada, intuída claramente por meio das nossas faculdades racionais, mesmo quando não se manifestava somente na ação prática — mas também na recusa em participar do jogo público. Sólon, ao ver que a lei justa não seria compreendida adequadamente pelo povo de Atenas, decidiu se recolher; Churchill, quando percebeu que a sociedade inglesa não o desejava mais, voltou a escrever seus livros e a pintar seus bucólicos quadros.

Contudo, hoje, cada decisão política, em qualquer parte do globo terrestre, só nos traz desolamento. Tornou-se uma espécie de autopunição a cada um de nós que tenta participar, direta ou indiretamente, do processo de construir — ou, em muitos casos, de *reconstruir*, como ora ocorre no Brasil, após a devastação decorrente da revolta das elites promovida pelo Partido dos Trabalhadores entre 2002 e 2015 — uma comunidade onde possamos ter alguma esperança, alimentar nossos desejos mais saudáveis, educar a imaginação moral, ficar em paz durante a nossa vigília. Em suma, sonhar — sempre com os pés no chão.

Essa impossibilidade de sonhar e de contemplar a realidade concreta (e não a realidade que imaginamos existir nas nossas mentes), especialmente na sociedade contemporânea, transformou-se em uma absoluta falta de consolo que, por uma ironia macabra, é a nossa única consolação possível. O sonho virou um pesadelo contaminado, em seus detalhes mais íntimos, por essas decisões políticas completamente equivocadas — e que mancham o nosso cotidiano.

É o que aconteceu, por exemplo, com o jornalista Joel Silveira, conforme nos conta em seu relato *A feijoada que derrubou o governo*. Em 1964, nos dias finais de março, ele caminhava pela orla de Ipanema e refletia sobre o momento exato em que percebera, antes de seus contemporâneos, que o golpe militar, a ser realizado dentro de algumas horas, permaneceria de uma vez por todas nas mentes e nos corações dos brasileiros.

Como informa o próprio título de seu texto, tudo começou com uma feijoada. Sim, uma feijoada. Duas semanas antes do 1º de abril — apesar de que, para muitos, a *Gloriosa* ocorreu em 31 de março, evitando assim a coincidência com o tradicional Dia da Mentira —, Silveira esteve presente em um encontro com generais de alta patente, políticos, empresários, jornalistas e publicitários. Ali se reunia malta equivalente a uma elite. Uma elite que se esquecera de que havia um outro grupo de militares — generais e capitães que não integravam a alta casta do poder —, nada interessado em manter João Goulart na Presidência. Já os que compunham o governo estavam interessados em outra coisa — na feijoada, que, como bem escreveu Silveira, "derrubou o governo".

A divertida anedota da feijoada projetava algo mais sombrio, como notara Silveira. Naquele final de março, andando perto do forte de Copacabana — após uma noite de insônia em que relembrara a profecia de Samuel Wainer segundo a qual "Jango acabou, Jango está no chão" e tentara digerir a maldita feijoada —, o jornalista seria rispidamente impedido de atravessar uma barreira formada por soldados, mesmo insistindo, informando sua profissão e comunicando que precisaria passar para chegar em casa — o que, diga-se, era uma mentira, já que Silveira morava em Ipanema. A descrição do que vira e intuíra merece registro: "um dos soldados que compunham a marcial parede verde-oliva [e] que guardava a fortaleza me encarou duro, fez um movimento ameaçador com o seu fuzil — gesto e olhar que me bateram no corpo e na mente como uma ducha gelada."

O soldado não estava nem aí para o trabalho de Silveira: "Não interessa quem você é, meu chapa. Por aqui ninguém passa. Ninguém passa. São ordens". O jornalista esboçou alguma resposta. O "praça" apontou a metralhadora para o seu peito, sem qualquer hesitação no gesto: "Vá dando logo meia-volta, meu chapa. E não insista, senão puxo o gatilho!" O repórter obedeceu, sabedor de que aquela havia sido a primeira ordem que recebera da "revolução". Ao chegar em casa, conta Silveira no final de seu memorável artigo, "logo me pus debaixo de uma chuveirada morna, e em seguida estendido na cama, na qual tombei como um morto e da qual só iria me erguer catorze horas depois."

Este longo sono "nada teve de tranquilo, mas que, ao contrário, foi todo ele sacudido por pesadelos, estremeços, mergulhos em profundezas abissais e sonhos tão vivos que mais pareciam a continuação da realidade". E

> num desses sonhos me vi mais uma vez diante da metralhadora do soldado do forte; e que ao escutar dele o arrogante desafio, "Por aqui não passa!", inflei o peito e num enfurecido arranco encostei a barriga no cano da arma que me visava, faminta; e o fiz com tal decisão que ao bom sentinela não restou outra alternativa senão a de puxar o gatilho e me furar a pança, em cima do fígado. E, para espanto meu, vi que, da ferida aberta, esguichava, em vez de sangue, um impetuoso e espesso jato de caldo de feijão.

2.

A falta de decisão política — nesse caso específico, uma *omissão* política, quase deliberada, de uma elite, testemunhada por um integrante menor deste mesmo "círculo dos sábios" — criou um impasse que, ao não ser resolvido adequadamente, terminaria em violência; e contra o mesmo sujeito que vira a apatia ter origem nos altos escalões governamentais. Se antes, por exemplo, com os estoicos, qualquer escolha que envolvesse a *cosmopolis* romana era inspirada pelo ditame da razão universal, agora, segundo a perspectiva apresentada por Joel Silveira, seria a irracionalidade a dominar todo um país, fazendo-nos renunciar às coisas deste mundo por meio de um acordo tácito em que o sonho se convertia num pesadelo — e este se tornando a estrutura final da inteligibilidade e da razão do todo universal. Não há mais o *logos* imortal. Há somente a matéria pura, sem inteligência ou finalidade, inclinando-se ao acaso conforme a sua intrínseca necessidade.

Contudo, o estoico ainda pensava como um individualista. Hoje, é mister pensar como um coletivista — e sem escrúpulos. Na sociedade democrática corrente, nenhuma decisão tem a bússola orientada para a vida interior, a subjetividade, para aquilo que enfim nos preserva dos choques da realidade exterior — e que deveria ser o nosso bem mais precioso. Nada disso. Temos apenas o recesso deformante, no qual as imagens, as representações e as ações são apenas falsificações irreconhecíveis aos olhos de quem poderia identificá-las, todas absolutamente sujeitas ao império do sentimentalismo tóxico.

Em *Contra as eleições*, do cientista político belga David Van Reybrouck, o próprio processo democrático aparece como uma falsificação em si, algo que estaria à parte do corpo inteiro da *cosmopolis* racional, plena de desgaste ou corrupção, e em que o abismo entre a elite política (inspirada numa técnica que isola seus membros cada vez mais) e a sociedade civil (vítima direta ou indireta dessa tecnocracia) se aprofundaria a cada pleito eleitoral. De novo, a cada decisão política, os erros se acentuam — e criam a impressão de que vivemos numa tragédia cujo coro nos mostra cada vez mais impotentes.

Os fatos mais recentes não desmentem isso, é claro. Pelo contrário: intensificam esse processo numa velocidade impressionante, fomentada sobretudo pelas teias hierárquicas e descentralizadoras em tensão permanente com as corporações petrificadas que sustentam esses tecnocratas. É o que Reybrouck chama de "síndrome de fadiga democrática", em que

> a democracia foi pouco a pouco perdendo os dentes ao mesmo tempo que devorava seus próprios filhos. Em vez de mastigar discretamente no seu cantinho, com vergonha de seus defeitos, sem ter nenhum poder de ação, o político de hoje deve se expor — as eleições e a mídia não lhe deixam escolha —, de preferência levantando o punho, abrindo a boca e o flanco, para dar boa impressão de energia e força. Ao menos ele crê nisso. Em vez de reconhecer com humildade as mudanças nas relações de poder e buscar novas formas de governar, que façam sentido, o político é obrigado a continuar a jogar a partida midiático-eleitoral, frequentemente contra sua vontade e a do cidadão, que começa a se cansar do espetáculo: toda essa histeria, exagerada e artificial, não é capaz de restaurar a confiança.

Cresce, portanto, a crise de legitimidade sobre cada decisão política que deveria ter o Bem Comum como norte, sempre em função da liberdade individual. Isso porque a coletividade predomina sobre a escolha singular — e não à toa Simone Weil, em *Sobre a supressão dos partidos políticos*, afirmava, sem hesitação, que a verdadeira sociedade democrática só existiria realmente se todas as agremiações partidárias fossem abolidas. Cada partido atomiza a decisão política que poderia ser correta porque legitima o pensamento coletivista tanto quanto o transforma em uma instituição, com as ramificações técnicas que isto implica na vida cotidiana do cidadão.

Lentamente, a democracia — que deveria transformar a absoluta falta de consolo da condição política, a fim de regenerar o homem como indivíduo, na consolação suprema do homem como uma espécie a ser perpetuada na história — isola-se em suas próprias entranhas. No mundo contemporâneo, a propaganda e a mídia só colaboram para este cenário tenebroso. Afinal de contas, escreve Weil, o objetivo da democracia atual é *convencer* — e não transmitir a luz daquela clareza conceitual que, como diria Ortega y Gasset, deveria ser a cortesia do filósofo.

Neste aspecto, infelizmente, nem a filosofia pode nos ajudar a entender adequadamente o atual dilema da representação política — cujas consequências têm expressão nas escolhas que os políticos fazem por nós. O ato filosófico passa a ser visto como um jogo. Como nos mostrou Benedito Nunes no clássico ensaio *De Consolatione Philosophiae*, a filosofia já não nos consola nem mesmo através da desolação. Quem o faz é a política, e em si mesma, destituindo qualquer espécie de legitimidade do pensamento filosófico, que, no fim, tornou-se uma "nova ascese do pensamento e da ação". Segundo esta ótica,

> no esforço para despojar-se de suas abstrações, tende o pensamento a tornar-se visão das coisas; tende a falar a linguagem da existência ou a mergulhar no silêncio do Ser. Pois a Filosofia se sabe precedida e condicionada pela ação, que desejaria condicionar. E sabe, finalmente, que o seu único poder reside na indagação que problematiza, na análise que destrói as certezas comuns, na reflexão que discute esse mesmo poder de análise que outros poderes obscuros da existência, não analisáveis, provocam, sustentam e delimitam.

3.

A questão perturbadora em torno da consolação que a Filosofia deveria prestar a quem pretende decidir corretamente na arena política é justamente a limitação deste "único poder", que, de outro modo, consegue captar como poucos esses "outros poderes obscuros da existência". E aqui nos encontramos com a tragédia intrínseca a esta constatação.

Quem percebeu isso antes de todos foi ninguém menos que Platão. Tanto em *A República* (chamado doravante de *Politeia* — a "constituição" ou o "paradigma", em grego) como em *As leis*, ele deixa claro que as "vozes" da filosofia, da poesia e da política não podem conviver juntas, exceto somente sob a perspectiva da tragédia, com risco, se assim não for, de prejudicar a estabilidade política do *cosmion*, o pequeno mundo, a ser criado pelos homens.

Na verdade, trata-se de uma *rivalidade* em que uma "voz" tenta sobrepor-se à outra. Cada "voz" também possui, dentro da coerência de seu discurso próprio, uma forma específica de conhecer o mundo ao redor. Portanto, quando falamos de *rivalidade,* temos de entender que não se trata mais de meras palavras ditas a esmo para o simples convencimento da população, mas, sim, de vários *jogos,* simultâneos e interdependentes entre si, que envolvem aspectos diferentes e complementares do *conhecimento humano* e que, por isso, lidam com a questão filosófica de uma *competição sagrada* entre esses jogos.

A noção de *jogo* dos antigos, em especial entre os gregos, era muito diferente da nossa — e nesse aspecto a figura do *poeta* ou do *vate* adquire importância essencial. O jogo não é apenas uma brincadeira; é, sobretudo, uma forma simbólica que, sob regras que podem ser tanto rigorosas como também extremamente flexíveis, e num estado de *liberdade* que estimula a indeterminação que a sustenta, dá um ritmo, um *sentido* para a *vida sensata* que a comunidade política tenta construir.

Neste caso, a poesia [*poiesis*] tem uma função *lúdica,* assim como a filosofia, como explica bem Francis Bacon em seu famoso adágio: *Poesis doctrinae tanquam somnium* — "a poesia é como um sonho de amor filosófico". Como fica no limite entre a experiência religiosa (representada exteriormente pelo mito) e a filosófica, ao se encontrar em um mundo próprio criado pelo espírito, sua coerência de discurso depende, segundo Johan Huizinga em *Homo Ludens,* de "uma fisionomia inteiramente diferente da que apresentam na 'vida comum', e estão ligadas por relações diferentes das da lógica e da causalidade".

Apesar de ser considerada como um jogo, não há espaço para futilidades na poesia, muito menos para seriedades tacanhas. Na verdade, o jogo poético — e o *jogo* em si mesmo — está *além* da seriedade, no "plano mais primitivo e originário a que pertencem a criança, o animal, o selvagem e o visionário, na região do sonho, do encantamento, do êxtase, do riso". Qualquer estudioso deve analisar a "voz" da poesia não como uma fantasia mítica que esconde uma origem que ninguém conseguirá compreender, mas, sim, como as "sementes de uma sabedoria que virá depois a ser expressa pelas formas lógicas de uma época mais tardia".

A poesia não tem apenas uma função de expressar determinada vivência interior dos membros de uma comunidade. Ela também desempenha uma função social e litúrgica. A variedade de rituais que envolve esse tipo de discurso — os divertimentos entre crianças, a invenção de enigmas, as doutrinas sobre os deuses e a origem do universo, as persuasões racionais e encantatórias que atuam no convencimento da tribo, as feitiçarias, as adivinhações sobre o futuro de cada um dos membros, as profecias e as competições — tudo isso converge para a ação efetiva do *vate*.

Aqui, vemos a *rivalidade* entre essas "vozes" que deveriam se complementar, mas que, no fundo, lutam entre si porque querem, cada uma a seu modo, estruturar a própria sociedade conforme suas regras idiossincráticas. Platão teve a percepção desse choque e a dramatizou como poucos no livro X da sua *Politeia*. Neste célebre trecho, a *competição sagrada* que Platão acentua na História da Filosofia tem como alvo ninguém menos que Homero, o poeta que teria escrito os épicos fundadores da cultura grega, a *Ilíada* e a *Odisseia*.

Deve-se observar, entretanto, que a grande preocupação do filósofo em relação ao poeta não é somente de ordem estética ou retórica; é, antes de tudo, *epistemológica* — ou seja, como a influência da poesia na vida prática pode prejudicar a estrutura da *polis*, em especial a da convivência política entre seus membros, ao apresentar um conhecimento completamente diferente do que *é* a realidade. Para Sócrates, que personifica boa parte da visão de Platão sobre o assunto, a poesia lida com a imitação, a *mimesis*, do real e, uma vez aplicada aos assuntos públicos, não deve ser admitida como verdadeira porque não passa de um simulacro de um simulacro.

Explica-se esse raciocínio da seguinte forma: para Platão, o conhecimento da realidade se dá por meio das ideias [*logoi*], formas que existem independentemente das contingências do tempo e do espaço, e que podem ser apreendidas pelas nossas faculdades racionais, seja pelo objeto que se apresenta no mundo concreto, seja pela capacidade de rememorar [*anamnesis*] a origem dessas formas por causa do simples fato de que esse mesmo conhecimento já existia desde o início dos tempos.

Assim, a inserção das ideias na *polis*, onde os assuntos são efêmeros, sempre regulados não pela razão, mas pelas paixões dos homens, depende, antes de tudo, de que o ser humano passe por uma *periagoge*, uma conversão que, simbolizada na *Politeia* pelo episódio do "mito da caverna", torna-se uma verdadeira reviravolta da alma, em que quem decide viver fora da contingência opta por contemplar as formas eternas (a luz do sol que irradia na entrada da caverna — o símbolo da *episteme*, do conhecimento seguro do real) e não se preocupar somente com as aparências, que são as sombras reproduzidas na parede do lugar onde todos estão aprisionados. Caso contrário, essas sombras terão influência sobre as opiniões mundanas [*doxa*], que podem comandar a *polis*, sem se inquietar com a hierarquia de paixões que ordenam a sensibilidade humana e que, se não forem corrigidas a tempo, criarão o clima nefasto do *nosos*, a doença do espírito que recusa qualquer perspectiva transcendente.

A partir da concretização desta *periagoge* no reino das aparências — algo que só acontecerá por meio de uma considerável dose de esforço e de confronto com os obstáculos encontrados pelo caminho — é que se pode realmente governar a *polis* dentro da verdadeira constituição que regula tanto a sociedade como a alma do indivíduo que a compõe: o "princípio antropológico" de Platão. Tal constituição, como o próprio Sócrates fala nos momentos finais da *Politeia*, é espelhada em um modelo que talvez exista apenas no céu, "para quem queira vê-la [a constituição] e, de acordo com o que vê, queira ele próprio fundá-la" (592b).

O desejo de ver apenas o que interessa é o elemento-chave para se entender o que está em risco quando a formação de um modelo político ideal depende da poesia para a educação [*paideia*] de seus cidadãos. Platão pretende, pelo caminho tortuoso da filosofia, similar a uma descida ao Hades [*katebein*, "desci", em grego, que, não à toa, é a palavra que abre o diálogo], fazer o ser humano *ver* a realidade invisível que fundamenta as aparências que o seduz; e a arte é uma técnica que obriga o homem a direcionar o que deve ver para uma outra direção — que não se ocupa do principal, no caso a instituição das ideias em uma cidade onde possam existir sem a perturbação da contingência. Mesmo assim, a cidade necessita da arte [*techné*] — aqui, a poesia [*poiesis*], representada por Homero — para moldar a sensibilidade dos membros da *polis* desde a tenra infância.

Este impasse, recriado em *Politeia*, mostra que Platão não está em guerra com a poesia como uma arte. Na verdade, é um dos poucos que não hesita a falar de seu amor e de sua reverência por Homero, intitulado como "o mais poético dos poetas", mesmo que tenha uma preocupação com o "encantamento poderoso" que os versos, o ritmo, a métrica e a harmonia afetarão na representação realista da condição humana.

Neste ponto, a forma filosófica moldará a cidade ideal na alma do cidadão, que a construirá por meio de palavras e discussões, pois, como bem explica Eric Voegelin em *Platão e Aristóteles*, o terceiro volume da sua *magnum opus*, Ordem e História,

> a objeção do filósofo aos poetas deve-se ao caráter mimético de sua obra. A *mimesis*, a imitação, é repreensível por duas razões. Em primeiro lugar, a imitação não é o original, e o filósofo está em busca do ser "original", da ideia. O artesão incorpora a ideia em seu produto, como, por exemplo, a ideia de uma mesa numa mesa, num certo sentido imitando-a; e o pintor que representa a mesa em sua pintura será, portanto, o imitador da imitação. A obra do artista, assim, é a realidade "no terceiro grau de afastamento" (596a-597e). No mesmo sentido, o produtor de tragédias ocupa "o terceiro lugar na série a partir do rei e da verdade" (597e). Em segundo lugar, o imitador não está familiarizado com o "original" que possa agradar a seu público. E o grande público está menos interessado na verdadeira natureza das coisas do que em paixões e personagens marcantes (605a). Tal "realismo" na representação da alma incontida, confusa e inquieta, porém, leva inevitavelmente à corrosão da alma do espectador e do ouvinte, embora apenas alguns poucos estejam cientes de que aquilo que apreciamos nos outros irá necessariamente ter um efeito sobre nós mesmos (605c-606b). Assim, todas essas obras miméticas são prejudiciais para a mente do ouvinte — a menos que ele tenha, como antídoto, um entendimento da verdadeira natureza delas (595b).

Ora, para Platão, será a filosofia a dar o entendimento desta verdadeira natureza; ela é vista pelo seu maior defensor como uma nova forma simbólica, que entra no curso da História para superar e substituir não só os filósofos que articularam precariamente, no passado, a verdade percebida por poucos (Parmênides, Heráclito e Hesíodo), mas também a tragédia dramática estabelecida por Ésquilo e Sófocles e, por fim, pela poesia homérica — que, por sua vez, queria fornecer um conhecimento completo sobre esta mesma natureza. Por isso o ataque a Homero, explicitado na pergunta incômoda que Sócrates dirige a seus interlocutores:

> Mas, a respeito dos temas mais importantes e mais belos sobre os quais Homero tenta falar, as guerras, os comandos bélicos e o governo das cidades, a educação dos homens, é justo, penso, que lhe peçamos informações e perguntemos: "Se, caro Homero, em relação à virtude, não estás em terceiro lugar, se não és um demiurgo de imagens vãs que definimos como imitador, mas estás em segundo e se foste capaz de discernir que ocupações tornam vidas melhores ou piores os homens em sua vida privada ou pública, dize-nos que cidade graças a ti teve melhor governo, como a Lacedemônia, graças a Licurgo, e muitas outras cidades, grandes e pequenas, graças a muitos outros. Que cidade reconhece que foste bom legislador e lhe prestaste serviço? Como bom legislador, Itália e Sicília têm Carondas e nós, Sólon... E a ti que cidade tem como bom legislador? Serias capaz de citar uma?" (599e).

A resposta só pode ser obviamente negativa. Apesar de terem a pretensão ao conhecimento de todas as artes [*techné*] e, portanto, do mundo que os cerca, mesmo que seja no "terceiro grau de imitação", *os poetas costumam se confundir entre a representação do real e o próprio real*. Não adianta nada declarar que Homero foi o guia moral e o educador da Hélade; o fato é que ele não conhecia, pela via da experiência direta — a saber, da apreensão das ideias e de como podem ser incorporadas na contingência terrena —, nada a respeito de assuntos importantíssimos para o funcionamento da cidade ideal: a defesa da *polis* na guerra, a administração da justiça na paz e a educação [*paideia*] dos homens.

Assim, para substituir o mito criado pela poesia homérica — e que praticamente fundou a própria educação sob a qual Platão também surgiu —, a filosofia deve criar um novo mito capaz de restaurar a verdade da alma e passar a limpo toda a mitologia anterior. Somente com o conhecimento dessa "velha discórdia" [*palaia diafora*] entre filosofia e poesia entende-se que o que está em jogo é a descoberta de uma alma que se volta para si mesma e que se deve reconhecer em sintonia não com o mundo circundante, mas com um deus que o transcende.

Só a filosofia representaria essa "novidade" adequadamente, ao contrário do "feitiço" próximo da magia que a poesia provocaria na percepção do real de qualquer cidadão, já que, para Voegelin,

> Platão é o descobridor da psique e de sua ordem que está em guerra contra a desordem, da qual a educação tradicional por meio dos poetas é um fator casual importante. A *paideia* do filósofo luta pela alma do homem contra a *paideia* do mito. Nessa luta, como vimos, as posições mudaram mais de uma vez. A própria épica homérica, com a sua *mitopoiese* livre, foi um ato notável de crítica numa situação de crise civilizacional. A nova verdade de Hesíodo postou-se contra o velho mito, incluindo Homero. Para as gerações dos filósofos-místicos, tanto Homero como Hesíodo haviam se movido para a esfera do não-verdadeiro, à qual eles opunham a verdade da sabedoria, da alma e sua profundidade. Ésquilo criou o mito dramático da alma, no lugar do mito épico em geral. Para Platão, por fim, a tragédia e a comédia do século V tornaram-se tão desprovidas de verdade quanto Homero, de quem a cadeia de poesia helênica descendia. A descoberta da alma, assim como a luta pela sua ordem, é, desse modo, um processo que se estende pelos séculos e atravessa mais de uma fase até atingir na alma de Sócrates e em seu impacto sobre Platão. O ataque à poesia mimética desde Homero até a época de Sócrates declara não mais do que a simples verdade de que a Era do Mito havia se encerrado. Em Sócrates, a alma do homem finalmente encontrou a si mesma. Depois de Sócrates, nenhum mito é possível.

No entanto, não será uma simples declaração como essa que alterará toda uma tradição já sedimentada na História, de uma civilização que, mesmo em crise, ainda existe. Como tudo que envolve a linguagem humana, é necessário um longo período de tempo para que determinadas palavras se tornem uma realidade. O banimento da *mitopoiesis* que legitima a *paideia* — a ser posteriormente esquecida — só fará sentido se existir "um instrumento alternativo efetivo da nova *paideia*", o mito que destruirá os outros mitos e que é, nada mais, nada menos, que a própria *Politeia* criada pela forma simbólica do diálogo platônico: a constituição ideal de uma alma ordenada e aberta às exigências de uma realidade que está além da precariedade terrena.

E, obviamente, o artista original, aquele que cria a partir da primeira visão da ideia, sem deixar se corromper pelo mimetismo das outras artes que não conseguem fazer o mesmo, será ninguém menos que o filósofo.

4.

Esta mesma forma simbólica será levada à sua sofisticação extrema pelo próprio Platão em seu derradeiro diálogo, *As leis*. Como explica Richard Romero Oliveira em seu livro *Demiurgia política*, muitos estudiosos tratam-no como uma espécie de continuação temática da *oliteia*, talvez pelo fato de que ambos lidam com o tema da constituição da *polis* ideal, mas, em termos estruturais, o correto é analisá-lo como uma obra que se opõe à antecessora.

A primeira era uma espécie de "descida ao Hades" que culminaria na *periagoge* da alma individual, a qual sai das sombras da opinião comum [*doxa*] para enfim atingir o conhecimento perene das ideias [*episteme*] e assim liderar a formação de uma *polis* que fosse o reflexo do interior de quem a compõe e de quem a governa. Já a segunda obra é uma caminhada de três homens, cada um representando uma parte da Grécia (respectivamente, Atenas, Creta e Lacedemônia), que tentam ascender até o sol do meio-dia. Eles saem da caverna rumo à implantação efetiva das ideias à realidade tal como experimentamos no cotidiano, com suas contingências, dissabores e, em especial, a aceitação de que, nos assuntos de política, as *violências interior e exterior* — raízes indiscutíveis de qualquer decisão que pode ter um caráter trágico — talvez sejam as únicas forças dominantes na comunicação substancial que existe entre seus semelhantes.

Assim como em *Politeia*, que explicitava o seu tema principal logo na primeira palavra do diálogo — "desci" [*katebein*] —, *As leis* também tem por início a exposição de sua maior temática, "Deus" [*theos*], primeiro vocábulo do que será uma pergunta: "Deus ou algum homem, ó estrangeiros — quem teria originado a instituição de vossas leis?" A resposta, desta vez, é dita sem nenhuma ambiguidade: "Por um deus, é claro." Contudo, a forma simbólica criada por Platão — que deveria acabar com os mitos antigos, os quais impossibilitam o homem de se adequar à verdade divina — também permite que tal resposta tenha sua área de indeterminação; afinal, o próprio diálogo é um drama sobre sujeitos que tentam distinguir se as leis que os regem são feitas à medida de si mesmos ou de um deus que está além de qualquer apreensão racional.

Platão tentará provar que este deus não está tão distante assim — e que as leis que nos orientam não são amarras que impedem a nossa verdadeira natureza, mas, sim, instrumentos que a aperfeiçoam. Para isso, usa de um expediente bastante contraditório: nada mais nada menos que o próprio mito. Este recurso inusitado, para quem há tempos dizia tratar-se de algo que não deveria mais existir, é usado na simbologia a ser empregada no transcorrer do drama: o intercâmbio entre os termos "jogo" [*paidia*] e "formação" [*paideia*], representado na descrição do ser humano que é também uma marionete literalmente manipulada por um deus que, conforme a sua vontade, ora puxa os fios de ouro, ora os de prata.

Na antropologia filosófica elaborada pelo filósofo nos anos de maturidade, o ser humano é considerado uma pessoa completa, um indivíduo singular, ciente da *responsabilidade* que o conecta à sua *integridade moral* — sempre acompanhado pelo mito do deus manipulador a revelar as forças que também o dilaceram por dentro. Voegelin nos explica que

> essa [mesma] pessoa, contudo, é dividida dentro de si mesma por dois tolos conselheiros conflitantes, alegria e tristeza (ou prazer e dor: *hedone, lype*). Além desses sentimentos fundamentais, são encontradas na alma também as suas apreensões (*elpis*) correspondentes. A apreensão da tristeza é um movimento de encolher-se em medo ou aversão (*phobos*); a apreensão da alegria é um movimento de expansão audacioso e confiante (*tharros*). E além dos sentimentos e de suas apreensões há por fim o discernimento reflexivo e o julgamento (*logismos*) referentes ao melhor ou ao pior dos movimentos básicos. A descrição dessa organização da alma é então conectada aos problemas da ordem na sociedade na medida em que um discernimento reflexivo quanto ao melhor e ao pior, se sedimentando num decreto da *polis*, é chamado de *nomos* [lei] (614c-d).

O Estrangeiro ateniense pede aos seus interlocutores de Creta e da Lacedemônia que imaginem as criaturas vivas como marionetes dos deuses. Será que elas existem apenas para serem seus brinquedos ou há algum propósito mais sério nisso? Ninguém sabe dizer. Certo é que cada um desses sentimentos ou apreensões que nos perturbam são as cordas e os fios pelos quais somos manipulados. Vivemos entre tensões — o que Platão chamaria de *metaxo* — que nos dividem entre vícios e virtudes e nos puxam em direções opostas. A corda de ouro nos leva para cima; a de prata, para baixo. A primeira é o *nomos* individual que se reflete no *nomos* comunitário da *polis*; a segunda, o que desagrega a comunidade.

Para ser eficaz, e justamente porque frágil, o puxão da corda de ouro precisa do apoio do próprio homem. Ainda assim, o puxão das cordas inferiores é de igual força — e deve haver resistência interior do ser humano ou então será arrastado. Como complementa Voegelin: "O homem que compreendeu a verdade desse *logos* [julgamento] compreenderá o jogo de autogoverno e derrota, e viverá em obediência ao puxão da corda de ouro; e a cidade que o tiver entendido irá incorporá-lo numa lei e viverá de acordo com ele tanto nas relações locais como nas relações com as outras *polis* (644d-645b)".

Para a lei que está sintonizada com o divino ser incorporada adequadamente à *polis*, é preciso alguém que possa vivê-la em sua intensidade, como se fosse uma *nomos empsychos* [lei animada] — e Platão sugere que o rei-filósofo será o único a fazê-lo. No mito da *Politeia*, ele era o artista supremo que mimetizaria o primeiro grau de realidade. Agora, será o responsável pela constituição efetiva e eficaz de uma *polis* que se deixa governar pelas leis surgidas do domínio das paixões adquirido em anos de luta.

Mas há um problema: se o rei-filósofo é também uma criatura viva — e se é também manipulado como uma marionete —, onde está a importância de seu propósito, se houver algum? A sua importância, responde o Estrangeiro a seus companheiros de caminhada, é que o rei-filósofo imita o próprio Deus. Assim, o que era para ser um mero "jogo" [*paidia*] torna-se uma "formação" [*paideia*], um *jogo sério*, em que o risco está no combate interior contra seu pior inimigo, o próprio homem, o que o educa a ser um verdadeiro legislador — o qual ensinará às outras gerações uma providência divina que abarque a tudo e a todos.

Novamente, é Voegelin quem toca o centro da questão:

> O jogo sério é realizado por todos os homens em sua vida pessoal ao dar apoio ao puxão da corda de ouro; ele é realizado pelo homem em comunidade na celebração dos ritos da *polis* em conformidade com os *nomoi*. Ainda assim, o homem, ao participar do jogo, não o esgota nem em sua vida pessoal nem em sua vida social. O homem só pode desempenhar a parte que lhe é atribuída por Deus. Em última instância, o jogo cósmico está nas mãos de Deus, e apenas Ele conhece o seu pleno significado. Os legisladores precisam usar persuasão com os jovens agnósticos para convencê-los de que os deuses não são indiferentes às questões humanas. Diante do frequente sucesso mundano dos maus e dos igualmente frequentes infortúnios dos bons, diante, além disso, do louvor do povo comum a ações que destroem a verdadeira *eudaimonia* [bem-aventurança], o jovem pode cair em confusão moral e acreditar que tudo isso só pode acontecer porque nenhum deus está cuidando dos acontecimentos da esfera humana. Contra esse erro, os legisladores precisam insistir que o processo cósmico é penetrado pela ministração divina até a menor e mais insignificante partícula, como o homem. Pois o *cosmos* é todo psique, e a vida do homem é parte dessa natureza animada [*empsychos physis*]; todas as criaturas vivas, porém, assim como o *cosmos* como um todo, são o tesouro (ou posse, *ktemata*) dos deuses (902b). Os legisladores devem persuadir os jovens de que o deus que criou o *cosmos* dispôs todas as coisas para a prosperidade e a virtude do todo. A ação e a paixão da menor das partículas são governadas por poderes divinos, até seus mínimos detalhes, para o bem. O desgosto dos jovens tem sua causa no fato de que todas as partes são ordenadas para o todo e que o todo não existe para a conveniência de uma de suas partes; essa ordem do todo está na mente de Deus e não é inteligível em seus detalhes para o homem; daí a reclamação quanto a eventos que só fazem sentido na economia da psique cósmica, mas parecem não ter significado na perspectiva da psique humana finita.

Este *jogo sério* precisa de uma forma simbólica por meio da qual será adequadamente representado entre os membros da *polis*. O diálogo platônico poderia ser essa forma, mas é, antes de tudo, um meio de estabelecer uma comunicação substancial entre pessoas que possuem o mesmo *logos*, após anos de confronto com seus obstáculos interiores e exteriores. Ora, como o próprio Platão reconhecia, a existência desta pequena comunidade, incapaz de influenciar efetivamente o comando de uma cidade, era impossibilitada pela natureza dividida e, ao mesmo tempo, completa do homem.

Portanto, ao rivalizar com a forma criada por Platão para expressar o fim de todos os mitos — e em vez de novamente atacar a poesia homérica pela sua incompetência mimética de representar os primeiros graus do real —, escolheu-se outro meio para representar o drama cósmico que é o drama da *polis*: *a tragédia*.

5.

Neste aspecto, a tragédia — estabelecida em seu cânone por Sófocles, Ésquilo e Eurípedes — tem a ver com o *jogo sério* da relação entre o homem, Deus e a sociedade, porque esses três participantes lidam com a educação de quem vê e usufrui a representação exibida diante dos seus olhos. Na *Poética*, Aristóteles afirma que há uma relação específica entre um determinado gênero literário e uma determinada elevação de caráter de quem o usufrui. Na sua época, a tragédia era o gênero cuja função consistia em purgar certas características da personalidade do espectador — características que não teriam uma virtude definida e, sim, um vício ainda difuso — e expô-las em cena para que ele percebesse o que acontecia em sua alma, provocando uma decisão e, sobretudo, uma *ação responsável*. Daí sua nobreza, por assim dizer: a *catharsis* seria uma revelação do pior que há no sujeito para que ele o retire dentro de si e enfim se torne o *spoudaios*, o homem maduro, que a *polis* precisaria para ser bem governada.

Dessa forma, a tragédia é o ritual que ajuda o homem a compreender que está dentro de um *jogo sério* no qual Deus opera constantemente com as criaturas vivas como se fossem marionetes ou peças em um tabuleiro. Este é o simbolismo que Platão revela de forma evidente em *As leis*, quando faz o Estrangeiro afirmar que, antes de tudo, o cidadão deve ser educado desde criança para que não caia no erro da impiedade. Logo, o "jogo" [*paidia*] é parte fundamental da "formação" [*paideia*] de qualquer um, indivíduo que deve se autogovernar para depois comandar a própria *polis* — e, nesse ponto, a tragédia é a forma simbólica máxima, que representará a seriedade do propósito de viver enquanto Deus o manipula rumo ao Bem Supremo, e isto deve estar apto apenas aos adultos.

A descrição desse processo da criança que se torna homem adulto e, depois, do modo como este se transforma em um "homem idoso que age como uma criança" é um tratado pedagógico ímpar para quem quer dominar a sua *violência interior* e redescobrir a *razão* que fundamenta a escolha política correta e livre. Para Eric Voegelin,

> Platão aborda o problema do jogo em sua raiz e faz com que a cultura, a *paideia*, de sua *polis* cresça do jogo de crianças, a *paidia*. Na análise da criança e de sua educação ele emprega a teoria da alma que apareceu no contexto do Jogador e das Marionetes. Os sentimentos, as apreensões e o *logismos* [julgamentos] em sua coexistência caracterizam a estrutura da alma adulta; na alma da criança, as primeiras experiências são aquelas de prazer e dor e, no meio desses sentimentos, a criança tem de adquirir as suas primeiras noções de virtude e vício; sabedoria e crença verdadeira podem ser desenvolvidas apenas na vida posterior e a sua aquisição marca o crescimento da alma à sua estatura adulta. Entre esses dois estados estende-se a *paideia*, a formação ou a educação. 'Por *paideia*, refiro-me a virtude [*arete*] na forma em que ela é adquirida por uma criança' (653b). Se prazeres e preferências, se dores e aversões forem formadas nas crianças de tal maneira que fiquem em harmonia com o discernimento quando elas tiverem atingido a idade do discernimento, então poderemos chamar essa harmonia de virtude, enquanto o fator de treinamento em si deve ser chamado de *paideia*. A educação ou formação (no sentido de uma disciplina certa de gostos e aversões) de prazeres e dores, porém, é facilmente relaxada e desviada sob os fardos da vida humana. Os deuses, portanto, tiveram compaixão dos homens pelas dificuldades que estes enfrentam e acrescentaram à sua vida o ritmo dos festivais; e, como companheiros em seus festivais, deram-lhes as

Musas, Apolo e Dionísio, de modo que, por meio de companheiros divinos na comunidade, a ordem das coisas pudesse ser resgatada (653c-d). Depois desses comentários preparatórios, o Estrangeiro chega ao ponto: os festivais, com seus cantos e danças, podem ter o efeito de restaurar uma *paideia* que esteja sofrendo por causa das dificuldades da vida, porque esses rituais são enxertados na *paidia*, ou seja, no jogo das crianças. Sabemos que os filhotes de todas as criaturas não conseguem ficar quietos de corpo ou voz; eles pulam e rolam, eles brincam com espontaneidade e soltam gritos de alegria. Com relação a esses movimentos e ruídos elementares de jogo, porém, há uma diferença entre os animais e os homens, na medida em que os animais não têm percepção de ordem e desordem nessas ações lúdicas, enquanto aos homens os deuses deram as percepções de ritmo e melodia. Pela orientação divina, o jogo elementar, que é encontrado também nos animais, é levado à forma do coro trágico [que comenta a trama] no jogo do homem. Assim, a *paideia* tem de começar da *paidia*, e o fará da maneira mais apropriada por intermédio do espírito das Musas e de Apolo (653e-654a).

Portanto, a *violência interior*, que ocorre quando o poeta (ou, no caso, o cidadão que pode se tornar o rei-filósofo) se depara com as Musas, é transformada, ao ser submetida aos rituais sagrados em que a tragédia tem a função de purgá-la, no discernimento hierárquico entre o que é bom e o que é ruim, o que causa prazer e dor, e, sobretudo, entre o que é útil e o que é perigoso para o funcionamento da sociedade. Entre o encantamento provocado pela poesia de Homero — que prejudicaria a administração da *polis* — e o encantamento dos coros das tragédias que ensinam virtudes [*arete*] às crianças, Platão claramente prefere o segundo.

Assim, a *paideia* vestida de trágica leva o homem a participar desde o jogo de crianças até o jogo da comunidade, sob os *nomoi*, passando pelo jogo adulto. Este, sim, é de uma seriedade perturbadora, porque sua medida é Deus. Por isso, deve-se discernir o que é sério e o que é mera brincadeira, especialmente quando ocorrem os rituais de festa, uma vez que um cidadão livre e maduro não pode passar ridículo ao retratar o drama da comunidade perante os seus companheiros. As sátiras e as peças burlescas devem ficar a cargo dos estrangeiros e escravos; e, quando alguém quiser representar uma tragédia, deve-se pedir autorização a um conselho de magistrados.

É neste momento de *As leis* que o filósofo explicita toda a tensão e toda a rivalidade que sempre existiram na "velha discórdia" entre a poesia, a filosofia e a política, o que desemboca na perspectiva trágica — o que, por sua vez, deveria existir no íntimo dele. "Platão tinha medo do artista que havia dentro de si mesmo", afirma Iris Murdoch em *The Fire and the Sun*. Ao mesmo tempo, era algo de que não tinha como escapar: seus diálogos devem ser analisados não como tratados filosóficos, mas como obras de arte em que conceitos, símbolos, metáforas, analogias e mitos são construídos em uma trama dramática de tamanho requinte que, se lhes retirar um detalhe, o plano todo perde sentido.

Esta luta entre o pensador, o poeta e o dramaturgo trágico é retratada em cada uma das situações apresentadas. Uma rivalidade entre as três faculdades em que se tenta abolir uma em detrimento da outra, sempre dando a vantagem à primeira, uma vez que a filosofia seria a forma simbólica adequada para constituir e educar os cidadãos que criariam a *polis* ideal. Todavia, quando nos deparamos com o trecho abaixo, as coisas ficam ainda mais complicadas porque, desta vez, Platão não consegue articular adequadamente a querela que existia dentro de si mesmo e que o consumia há muitos anos. O resultado é uma das declarações mais enigmáticas já feitas:

> Respeitados estrangeiros! Nós somos, nós mesmos, os poetas de uma tragédia — e é a melhor e a mais nobre de todas. De fato, toda a nossa constituição [*politeia*] foi arquitetada como a representação [*mimesis*] simbólica da vida melhor e mais nobre e acreditamos que ela seja realmente a mais verdadeira de todas as tragédias. Assim, vocês e nós somos ambos poetas do mesmo estilo, *artistas rivais e atores rivais no mais nobre dos dramas* que apenas um *nomos* verdadeiro pode alcançar — ou esse é pelo menos é o nosso sentimento. Portanto, não esperem que permitamos facilmente que vocês ergam o seu palco em nossa praça pública e que deixemos que as vozes melodiosas de seus atores se elevem acima das nossas próprias em arengas para nossas mulheres e filhos e para o povo em geral sobre os mesmos temas que os nossos e, em sua maior parte, para o efeito oposto. Pois seríamos totalmente loucos, e assim o seria toda a polis, se essa autorização lhes fosse concedida antes que os magistrados tivessem decidido se as suas

composições são adequadas para ser recitadas em público ou não. Então vão, filhos e herdeiros das mais doces Musas, e mostrem seus cantos para os magistrados para comparações com os nossos próprios; e, se eles forem tão bons quanto os nossos ou melhores, nós lhes concederemos um coro; porém, se não forem, amigos, não poderemos fazê-lo (817b-d) [Grifos meus].

Esta é a afirmação feita, pelo grupo de magistrados, a quem deseja representar uma tragédia no ritual sagrado que coordena os ritmos da vida cotidiana da *polis*, no jogo de educação [*paideia*] que também corresponde ao *jogo sério* dos homens governados pela *nomos empsychos*, pois, ao mesmo tempo, são manipulados pelo Deus das Marionetes que anseia somente pela soberania do Bem. Todo o cuidado é pouco no momento de criar e interpretar uma tragédia, informa o alerta. E, ao mesmo tempo, a figura do filósofo se retrai: é o *nomos* que deve ordenar as relações entre os habitantes e entre os magistrados.

A rivalidade entre poesia, filosofia e política, subordinada à tragédia, chega a um impasse que atinge a própria essência da *polis*. E por um motivo simples: uma "voz" precisa da outra, um discurso sempre se amalgamará sobre o outro, pois a política precisa da linguagem para comunicar qualquer intenção, na busca de uma decisão política correta. Nesta tensão, a poesia, a filosofia e a política são obrigadas a usar a linguagem da tragédia para dissecar o que se passa dentro de qualquer ação humana que afetará a vida da sociedade.

Por outro lado, a mesma rivalidade prova que há, como bem anteviu Platão, um drama maior: o de que qualquer ação política terá, nas palavras de George Steiner no livro *The Poetry of Thought*, "um fim inevitavelmente trágico já que o seu reino pertence, na verdade, à esfera do contingente, da decisão pragmática que sempre será transitória e, por sua vez, destinada ao fracasso". E, ao ter essa intuição prestes a se despedir deste mundo, após ter vivido a sua cota de derrotas pessoais na administração das coisas humanas, Platão também dá a entender que, apesar de seu temor, reconhecia que não haveria como escapar do artista dentro de si mesmo — e que a filosofia só poderia ganhar força, como discurso coerente em busca de uma verdade surgida no interior de uma alma individual, se aceitasse a linguagem trágica como uma "poesia do pensamento", no dizer de Steiner, numa ambivalência que teria uma influência decisiva na história das ideias políticas.

6.

Dessa forma, o conflito entre os *artistas rivais* que existem dentro de um filósofo, de um dramaturgo ou de um poeta, leva cada um desses indivíduos a ter que lidar com a filosofia como se tivesse uma "voz" que a aproximasse das qualidades da poesia, e não como se fosse um método lógico. Afinal, já dizia Alain, "o estilo é a substância do pensamento" — e este sempre começa com uma metáfora. A partir daí, a filosofia, a poesia e a política se tornam um *meio de vida trágico*, em que os seus respectivos representantes são exemplos de conduta que serão imitados por quem mais os admira.

O mesmo ocorre com quem pratica a decisão política correta, a *politike pragmateia*, filhote dessas três "vozes": aqui, o político não é mais um simples funcionário público; é agora um estadista, alguém que pensa na sociedade onde vive como um grande drama, em que cada um tem seu papel no funcionamento da cidade ou do Estado que governa. Ele é um artista que comanda e que educa, que pensa e reflete, que age e reage de acordo com sua *nomos* interior, e que deve mostrar aos outros que a incorporou como algo vivo e não como uma mera regra a ser corrompida conforme as pressões da existência.

E como qualquer ação sua terá um fim trágico, porque o fracasso é a primeira coisa presente na política — mesmo que esta faça de tudo para afirmar o contrário —, o estadista também terá os "artistas rivais" que lutarão em seu íntimo, e cada um deles exigirá o seu respectivo *dilaceramento moral*. Talvez alguma espécie de mito seja a forma por meio da qual se permita uma solução para si mesmo e que o apazigue dos dilemas que o afligem ao se confrontar com o governo da cidade onde vive e com o autogoverno de sua própria *nomos*. Afinal, se tudo não passa de um *jogo sério*, devemos também observar que *agon* significa tanto a parte brincalhona quanto a parte *combativa* de um ritual sagrado. Será justamente na *rivalidade* inseparável entre poesia, filosofia e política que a tragédia se converterá no discurso adequado para persuadir os cidadãos sobre qual será o caminho correto para que a comunidade decida o que é o Bem Comum para todos, mesmo que a derrota seja uma possibilidade no horizonte.

Na atual sociedade democrática, entretanto, o que nos resta, para voltarmos a Benedito Nunes, é "a disciplina superior do conhecimento", a única que a unidade da poesia, da filosofia e da política pode nos dar; "é a negação de que a determinada forma [deste mesmo] conhecimento se possa atribuir superioridade incontestável. Nem a própria filosofia conserva o poder que a sabedoria [tradicional] lhe outorgava, de desprender-nos do Tempo, de conciliar-nos com a vida e de abrigar-nos na Razão. Seu poder está unicamente no jogo do pensamento com a existência, da existência com as probabilidades de ser, até o extremo do paradoxo e do absurdo".

Neste jogo, prenhe de destruição, qualquer escolha política não será apenas errada. Será, sobretudo, trágica — e sem qualquer alternativa mais esperançosa ou mesmo poética. Restam-nos os uivos das gerações futuras, em sua maioria completamente perdidas, com suas melhores mentes "devastadas pela loucura, pela fome, pela histeria", todas nuas, inconsoláveis, como nos confidenciou o vate, enquanto via o abismo de todos os séculos.

6.

O impasse da esquerda

Evangelizar é dizer verdades ao poder.
Fazer política é conquistar o poder para defender a verdade.
Mark Lilla, O progressista de ontem e do amanhã

Agora há reação.
Paulo Eduardo Arantes, O novo tempo do mundo

1.

O problema do impasse da esquerda mundial e, em particular, da brasileira que tem recebido expressões diversas em diferentes correntes doutrinárias — do suposto liberalismo clássico de Mark Lilla, com seu *O progressista de ontem e o do amanhã* (2017), à transfiguração prometeica de Paulo Eduardo Arantes, em seu volumoso *O novo tempo do mundo* (2014), e da erudição enciclopédica de *Melancolia de esquerda* (2015), de Enzo Traverso, à crítica interna feita por Ruy Fausto em *O ciclo do totalitarismo* (2017), sem deixar de lado, é claro, a ousadia técnica de Marcos Nobre no críptico *Como nasce o novo* (2017) —, surgiu explicitamente com as eleições de Donald Trump e de Jair Bolsonaro, e na surpresa que foi o acontecimento do Brexit (a saída da Grã-Bretanha da União Econômica Europeia por meio de um referendo popular).

Podemos admitir que, nessas infinitas variações que tomaram de assalto a esquerda radical e a progressista nos últimos anos, onde a realidade é apenas um sonho sem conexão com o mundo do dia a dia, a especulação filosófica estava em um impasse trágico, típico da modernidade — conforme escrevi no capítulo anterior deste livro —, e isso tornou-se cada vez mais evidente, especialmente porque, para esses pensadores, ela passa a ser a tentativa de uma ciência integral, de saber completo e universalmente válido, desde que, claro, seus alicerces estivessem fundamentados ora na ilusão do progresso histórico, ora na alucinação coletiva que foi o materialismo histórico.

No ensaio "A Superação da Filosofia", Benedito Nunes explica que este tipo de desenvolvimento (e de meta final) era justamente a intenção do pai direto (e indireto) de todos esses autores, Hegel, para quem "chegara o tempo de elevar a filosofia à forma de ciência, obedecendo a necessidade interna do conhecimento. O sistema de todos os conceitos, equivalente à verdade, que a ciência tem por objetivo, pondo um termo à inquietude da especulação, atingia o alvo da busca filosófica. Superava-se, então, a filosofia, no saber sistemático por ela mesma engendrado".

Contudo, para eles, o sentido de um sistema foi destruído por dois eventos: a queda do Império Soviético, em 1989, e o impacto da crise econômica de 2008 (é interessante notar que, para a esquerda — com as exceções de Enzo Traverso e Ruy Fausto —, os atentados de 11 de setembro não têm a mesma relevância). Desses dois epicentros, as vitórias de Trump, Bolsonaro e do Brexit são apenas ramos de uma mesma árvore: a da impossibilidade de se construir um sistema objetivo de conhecimento, devido aos eventos extremos do curso histórico, o que nos leva à própria impossibilidade de se conhecer o que chamaríamos de "verdade objetiva".

Uma vez que não há mais a *episteme* das coisas, a verdade passa a ser substituída por eufemismos, subterfúgios e truques retóricos, nos quais os diferentes nomes — "pós-verdade", "relativismo", "pluralismo", "tolerância", "lugar de fala" — são apenas disfarces para um determinado tipo de experiência que pode ser articulada na seguinte questão: *Como se ganha ou como se mantém o poder político para que esses pensadores permaneçam na sua revolta das elites?*

2.

Este é precisamente o dilema de Mark Lilla em seu livro mais recente, publicado nos EUA logo após o pleito entre Donald Trump e Hillary Clinton, e depois divulgado no Brasil para coincidir com a subida da revolta do subsolo representada por Jair Messias Bolsonaro, ao entrar no Palácio do Planalto. Apesar do sucesso a curto prazo, não foi uma boa estratégia para quem tinha uma obra fundamentada no longo.

No passado, Lilla era um renomado *scholar*, autor dos notáveis *A mente imprudente* e *A mente naufragada*, além do sublime *The Stillborn God* (2007); apesar de ser um progressista confesso, ele se alinhava muito mais ao liberalismo clássico de um Tocqueville ou de um Burckhardt do que propriamente ao radicalismo de quem é militante do Partido Democrata comandado pela trupe Clinton & Obama. Entretanto, com o apocalipse de Trump se avizinhando no seu quintal, ele resolveu escrever um livro que não só paga pedágio ideológico aos seus colegas da academia como também revela que, por trás de seu verniz liberal, escondia-se um grande jacobino, em especial a respeito do mais candente dos assuntos — o do aborto.

Nas palavras do próprio Lilla, ele é um "absolutista" em relação a este tópico — e, segundo seu ponto de vista, "é a questão social a que dou mais importância, e acredito que o aborto deva ser seguro e legalizado, praticamente sem qualquer precondição em cada centímetro quadrado do solo americano". No século em que a filosofia precisa se autodestruir para se superar, é nítido o modo como o sujeito que diagnosticou corretamente as doenças da mente naufragada e da mente imprudente foi também contaminado por essas mesmas moléstias. É verdade que tal declaração de princípios é articulada em poucas linhas no decorrer do livro, mas é também verdade que revela todo o impasse da esquerda progressista — e já indica a solução que será alcançada para resolvê-lo.

Em *O progressista de ontem e o do amanhã*, Lilla age como qualquer esquerdista — ou seja: como um intelectual de gabinete. O "aborto", para ele, é uma questão abstrata, conceitual, um mero problema político que exige persuasão e convencimento para então depois ser imposto — sempre com sutileza, é claro — ao restante da sociedade política; um mero problema político que não envolve, por incrível que pareça, a existência de um ser humano concreto, de carne, osso e alma.

Sua tese parece ser inusitada porque vem com o disfarce hipócrita da autocrítica, mas, na verdade, é a ponta do *iceberg* da nova estratégia que a esquerda progressista usará (ou sempre usou?) para recuperar o poder que antes supunha ter. Ela consiste em querer ensinar o eleitor por meio da "educação do imaginário" — uma frase que sempre encheu a boca dos conservadores e dos republicanos inspirados em T.S. Eliot e Russell Kirk —, assim criando a participação dele na sociedade de tal forma que, quando os democratas conquistarem novamente os cargos legislativos e executivos do governo americano, recuperarão enfim a verdadeira política, a que combata aquilo que Lilla chama de "pseudopolítica" das ações afirmativas, do politicamente correto e das palavras de ordem identitárias.

Porém, para enfrentar adequadamente essa pseudopolítica e chegar enfim ao que acredita ser a política ideal, Lilla exige que entendamos as consequências históricas da "antipolítica". Aqui, ele faz uma distinção entre a Dispensação Roosevelt, uma narrativa histórica que moldou a maioria das mentes possuídas pela "imaginação liberal" no século XX, com a criação de um Estado assistencialista que tirou os EUA da maior depressão econômica de todos os tempos, e a Dispensação Reagan, que seria uma resposta à de Roosevelt e que consistiria em reforçar o papel do indivíduo diante das engrenagens burocráticas do poder estatal, formatando a mente republicana-conservadora que, na perspectiva do autor, seria ressuscitada por Donald Trump em 2016, desta vez com um tempero a mais de populismo e protecionismo comercial.

Em ambos os casos, a "educação do imaginário" foi fundamental para a sociedade americana perceber que a política identitária era um beco sem saída. Apesar de ter sido apropriada como lema pelos integrantes mais radicais do Partido Democrata — e imposta nas regras aparentemente objetivas e técnicas das universidades —, esta atitude os levou à derrota estrondosa de Hillary Clinton. Lilla entende que os americanos médios tinham preocupações que não se encaixavam nas exigências da classe intelectual e acadêmica do país, mas, ao mesmo tempo, cai na armadilha de não acreditar que poderiam fazer escolhas racionais, morais e prudentes. Este é o verdadeiro preconceito do intelectual que mora no coração do autor de *A mente imprudente*: achar que suas ideias podem moldar a sociedade, de cima para baixo, naquela *pleonexia* que é o desejo de poder de qualquer homem de cultura sem qualquer controle das suas paixões, cujo único intento é permanecer na sua torre de marfim, custe o que custar.

Todo esse raciocínio aparentemente lúcido só vale se entendermos o subtexto que envolve uma publicação deste tipo — o de que estamos lendo o livro de um autor que acredita piamente que se trata de um perdedor. Sem a derrota nas eleições de 2016 (e também no Brasil, em 2018), a esquerda progressista jamais precisaria reaprender e reajustar suas múltiplas visões de mundo que, no fundo, surgem da raiz da superação da filosofia em um sistema pleno e acabado. Porém, como esse mesmo sistema é absorvido em uma cultura que, aparentemente, se fundamenta no improvável sucesso de qualquer empreendimento humano, é evidente que essa tensão só será cada vez mais acentuada conforme o intelectual de esquerda se aprofundar na experiência do fracasso. E é por causa disso que temos o crescimento exponencial da força do pensamento esquerdista, possibilitando o seu retorno — ou a sua ressurreição definitiva — quando menos se espera.

3.

É esta mesma experiência do fracasso que motiva o sociólogo italiano Enzo Traverso a escrever *Melancolia de esquerda*, um livro que faz um interessante complemento às angústias imediatas de Mark Lilla. Seu foco não é analisar o imaginário tanto da esquerda progressista quanto da esquerda radical em seus aspectos puramente *topográficos* (ou seja, os partidos à esquerda na arena política e institucional em contraposição aos partidos da direita), "conforme o ponto de vista convencional da ciência política, mas sobretudo em termos *ontológicos*: os movimentos que lutaram para mudar o mundo ao colocar o princípio da igualdade no centro de sua agenda. Sua cultura é heterogênea e aberta, na medida em que inclui não só diferentes correntes políticas, mas também uma pluralidade de tendências estéticas e intelectuais".

As palavras de Traverso tentam fazer uma autodefinição elogiosa do que é ser de esquerda, por meio do uso retórico de termos como "heterogêneo" e "aberto", mas logo depois se traem ao afirmarem que o marxismo se tornou "a expressão dominante dos movimentos mais revolucionários no século XX". Claramente, há uma contradição aqui: como uma expressão dominante pode ter uma cultura "heterogênea e aberta"? Contudo, aí está, sem dúvida, a sua essência ontológica, articulada precisamente na "11ª tese de Feuerbach", escrita por Karl Marx — a de que "os filósofos se limitavam a *interpretar* o mundo. Cabe-lhes agora *transformá-lo*" —, na qual, por causa do inevitável fracasso inerente à empreitada, cria-se assim a famosa "melancolia de esquerda". Segundo a conceituação de Traverso, a esquerda seria "um enorme e prismático continente feito de conquistas e derrotas, enquanto a melancolia [em geral] é um sentimento, um estado de ânimo, um emaranhado de emoções". Para decifrá-la corretamente, o pesquisador precisaria "necessariamente ir além de ideias e conceitos".

Assim, estamos no mesmo território descrito por Mark Lilla — o da "educação do imaginário". Mas há um elemento que Traverso acrescenta na discussão sobre o impasse da esquerda: o do tempo. Para que ela tenha a sua redefinição plena, precisa-se aceitar que faz parte de uma "tradição" que, ironicamente, vai contra todas as outras tradições as quais não consigam dialogar com este "enorme continente".

Por isso, a característica básica da melancolia de esquerda é que

> não significa retirar-se para um universo fechado de sofrimento e lembrança; trata-se mais de uma constelação de emoções e sentimentos que envolvem uma transição histórica, a única maneira que a busca por novas ideias e projetos pode coexistir com o pesar e o luto após o fim das experiências revolucionárias. Nem regressiva nem impotente, é a melancolia de uma esquerda que não foge do fardo do passado. É a melancolia de uma esquerda que, mesmo aberta às lutas no presente, não foge à autocrítica em relação a seus fracassos do passado; que não se resigna à ordem mundial estabelecida pelo neoliberalismo, mas não pode renovar seu arsenal crítico sem antes se identificar e se irmanar com os derrotados da história, uma multidão à qual fatalmente se juntou, ao final do século XX, uma geração inteira — ou o que

dela restou — de esquerdistas derrotados. No entanto, para que essa melancolia seja fecunda, ela precisa se tornar reconhecível, após ter sido excluída nas últimas décadas, quando tomar o céu de assalto parecia ser a melhor forma de demonstrar o luto pelos camaradas que pereceram em combate.

A metáfora do "tomar o céu de assalto" faz parte da essência prometeica da esquerda, da sua constante revolta não só contra os fundamentos metafísicos da realidade, mas sobretudo contra a *própria* realidade. Não à toa, a esquerda precisa transfigurar o fluxo implacável do tempo, por meio de uma permanente reelaboração do passado, sempre tendo como meta a alteração efetiva do futuro (que ninguém sabe se se tornará algo concreto), e também por meio da criação de um papel dramático fundamental nesta performance: o da *vítima*.

Conforme já foi dissecado por Daniele Giglioli, a obsessão de ser uma vítima é o ponto de contato entre dois fatores que, somados a um terceiro — o eterno eclipse das utopias —, molda o fluxo do tempo de tal maneira que passa a ser "inevitável" viver em um "mundo sem utopias", onde a única coisa a se fazer é "olhar para trás".

Traverso explica que esses dois fatores surgem, em primeiro lugar, com

a emergência da memória no espaço público das sociedades ocidentais [que] é consequência dessa mudança. Entramos no século XXI sem nenhuma revolução, sem a tomada da Bastilha ou do Palácio de Inverno, mas tivemos um choque, um horrendo *ersatz* no Onze de Setembro, com os ataques às Torres Gêmeas e ao Pentágono, disseminando o horror, não a esperança. Desprovido de seu horizonte de expectativa, o século XX nos aparece em retrospecto como um período de guerras e genocídios. Uma figura outrora discreta e modesta agora está sob os holofotes: a *vítima*. Na maioria das vezes de forma anônima e silenciosa, as vítimas invadem o pódio e dominam nossa visão da história. Graças à influência e à qualidade de suas obras literárias, as vítimas dos campos de concentração nazistas e dos *gulags* stalinistas se transformaram nos grandes ícones deste século de vítimas.

Em segundo lugar, temos com a vitimização coletiva da esquerda — que julga se equiparar às tremendas perdas ocorridas ao gênero humano durante as revoluções comunistas e as duas guerras mundiais, num hábil uso do "paralogismo de curto-circuito" — uma deformação da passagem do tempo, que se dá de tal maneira que a memória, segundo Traverso, se transforma em um "amontoado de ruínas que cresce até o céu", onde não existe mais um "tempo-agora" que ressoe no passado para enfim "realizar as esperanças dos derrotados e garantir sua redenção". A partir deste espectro do "tempo-agora", "a memória do *gulag* apagou a da revolução; a memória do Holocausto suplantou a do antifascismo; a memória da escravidão eclipsou a do anticolonialismo: a recordação das vítimas parece não poder coexistir com a lembrança de suas esperanças, de suas lutas passadas, de suas conquistas e derrotas".

Desse modo, a esquerda em geral sempre se vê como se estivesse imersa em uma longa "meia-noite do século" — e os esquerdistas, por não desejarem ser vistos pelo prisma dessa palavra grotesca em termos intelectuais, *vítima*, começam a se autodenominar "exilados". Quando um deles toma o papel de historiador — como aconteceu, por exemplo, com o célebre Eric Hobsbawm —, logo

> se encontra dividido entre dois mundos: aquele em que vive e aquele que tenta explorar. Isso porque, apesar de seus esforços para ter acesso ao universo mental dos atores do passado, suas ferramentas analíticas e categorias hermenêuticas são formuladas em seu próprio tempo. Esse hiato temporal possibilita tanto armadilhas — em primeiro lugar, o anacronismo — quanto vantagens, uma vez que permite uma explicação retrospectiva livre das amarras culturais, políticas e também psicológicas pertencentes ao contexto em que os sujeitos da história agem. É justo desse hiato que as narrativas e representações históricas do passado se originam. A metáfora do exílio é sem sombra de dúvida frutífera — o exílio continua sendo uma das experiências mais fascinantes da história intelectual moderna —, porém, hoje é preciso que seja nuançada. Historiadores do século XX — em especial, os historiadores de esquerda que investigam a história do comunismo e da revolução — são 'exilados' e 'testemunhas', uma vez que é profundo seu envolvimento com o objeto de seus estudos. Eles não exploram um passado remoto e desconhecido, e o desafio está justo em se distanciar dos eventos recentes de seu passado,

uma experiência que muitos deles viveram e que ainda lhes assombra a vida. Sua relação empática com os atores do passado corre o permanente risco de ser perturbada por inesperados momentos de 'transferência' — no sentido psicanalítico do termo — que extrapolam os limites do trabalho, despertando experiências e a subjetividade do pesquisador. Em outras palavras, vivemos num tempo em que os historiadores escrevem a história da memória, enquanto as sociedades civis seguem com a memória ainda viva de um passado histórico.

Contudo, essa "história da memória" escrita pelos esquerdistas que se travestem de historiadores só pode dar certo sobre a "educação do imaginário" das pessoas comuns se houver uma aposta tremendamente arriscada — e, ao mesmo tempo, certeira — naquilo que o grande santo comunista dos nossos tempos, Antonio Gramsci, definiu como, no processo revolucionário, a única previsão "científica": a da luta, ocorrida sempre na tensão entre a derrota e a vitória. Este novo "sistema de conhecimento", que refuta a *episteme* e prefere a ação, criaria também uma filosofia subliminar que, entre outras características, fará de tudo para recusar o fato indiscutivelmente histórico de que "as revoluções sempre tendem a negar sua dimensão trágica".

Inspirado nas reflexões de Raymond Williams, Traverso comenta que

> a realidade [das revoluções] é eminentemente trágica, feita de movimentos de massa, confrontações violentas entre forças sociais e visões de mundo que muitas vezes descambam para confrontos físicos e fatais entre seres humanos. As revoluções, porém, nunca se concebem como eventos trágicos; seus atores [e *autores*] sempre enfatizaram sua dimensão redentora, liberadora, emancipatória, para não dizer eletrizante e perigosa. A visão trágica do mundo deriva de um sentimento de desespero. A tragédia surge quando não se logra vislumbrar nenhum horizonte, quando as pessoas se sentem perdidas em definitivo. [Por isso] a tragédia e as revoluções [se excluem] reciprocamente. Como visão teleológica da história, o socialismo não admitia a tragédia. Ele historicizou e "metabolizou" derrotas, diminuindo ou removendo seu caráter doloroso e, por vezes, devastador. A dialética marxista da derrota se transforma numa teodiceia secular: o bem poderia ser extraído do mal; a vitória final resultaria de uma série de derrotas.

Nesta nova teodiceia, é fundamental que se tenha uma outra maneira de perceber o fluxo do tempo para que assim se mantenha o desejo de poder prometeico de modificar a realidade. E foi justamente o que o filósofo brasileiro Paulo Eduardo Arantes fez, com sua obra incendiária, para fortalecer ainda mais a reconstrução da esquerda.

4.

Em *O novo tempo do mundo* (2014), Arantes parece criar um manifesto ideológico daquele movimento pseudoestudantil que resolveu tocar fogo nas ruas de São Paulo e do Rio de Janeiro em junho de 2013: o MPL (Movimento Passe Livre). Mas é muito mais do que isso. Trata-se de um verdadeiro tratado de como a esquerda tomará o poder quando esta expectativa finalmente se tornar uma realidade. E aqui temos um detalhe extremamente risível no seu propósito: Arantes alega que ajudará a realizar tal intento destruindo justamente qualquer tipo de expectativa.

Influenciado pelas reflexões em torno da filosofia da história feitas pelo alemão Reinhart Koselleck — especialmente no livro *Futuro passado: contribuição à semântica dos tempos históricos* (1979) —, Arantes dá uma cambalhota teórica típica de quem muito estudou Hegel (mesmo que seja pelo prisma da esquerda) ao afirmar, como se fosse um credo, que o Ocidente se encontra, neste início do século XXI, em um "novo tempo do mundo", radicalmente distinto daquela "longa duração" com a qual o fluxo histórico se desenvolvia, segundo o historiador Fernand Braudel — e que permitia ao estudioso a chance de contemplar os eventos com uma lentidão que o ajudava a compreender corretamente o rumo final da Civilização.

Só que agora, segundo Arantes, não há mais qualquer brecha para uma contemplação do mundo ou para entender a lentidão do tempo histórico. Os esquerdistas precisam dizer "adeus" à tal da longa duração de Braudel. A palavra-chave, a partir desses anos iniciais do século XXI, será "aceleração" — e o que teremos então será o deslocamento de um "horizonte de expectativa" (o conceito é de Koselleck), enquanto parâmetro de um "tempo do mundo" (a expressão sempre foi de Braudel), para nada mais, nada menos que a súbita insurgência de uma "grande Revolução".

É nítido que Arantes defende com fervor este "curso precipitado da História" porque, de maneira paralela, regozija-se com o fato de que o globo terrestre inteiro se encontra em um "estado de crise permanente" — uma ideia emprestada de Giorgio Agamben —, enquanto analisa, em seu gabinete com ar-condicionado, "o abismo, que desde então não deixou de se aprofundar, entre o Espaço de Experiência e o Horizonte de Expectativa", já que, "a certa altura do curso contemporâneo do mundo, a distância entre expectativa e experiência passou a encurtar cada vez mais e numa direção surpreendente, como se a brecha do tempo novo fosse reabsorvida, e se fechasse em nova chave, inaugurando uma nova era que se poderia denominar das *expectativas decrescentes*, algo 'vivido' em qualquer que seja o registro, alto ou baixo, e vivido em *regime de urgência*", quando finalmente o próprio autor, com sua obra, identificará "o advento do instante histórico em que o horizonte contemporâneo do mundo começa de vez a encurtar e a turvar".

Ora, segundo a perspectiva deste "apocalipse político" esculpido por Paulo Eduardo Arantes — e demarcado a partir da longa duração histórica que começou com a Primeira Guerra Mundial —, a data exata do novo tempo do mundo é junho de 2013, quando o MPL resolveu encher a paciência do brasileiro médio criando manifestações de rua que, segundo esses moleques barbudos, não eram somente por causa dos "vinte centavos", mas por uma causa maior.

Pelo menos, eles foram mais diretos e sinceros nas suas intenções. O mesmo não se pode dizer de Arantes em seu tratado. Por meio de seu estilo de escrita deveras túrgido, afirma que a "aceleração social do tempo" se tornou uma "evidência que se alastra pelo conjunto de sociedades cada vez mais antagônicas [...]. Embora governada pela fabricação de consensos, a maré punitiva [das zonas de tempo prisionais e burocráticas que transformam os cidadãos comuns em meros prisioneiros] que a acompanha se abate necessariamente sob a forma de imobilizações, daí o real sentimento de tempo morto que essa onda de choque [da diminuição de expectativas] dissemina em sua passagem", a ser traduzido "por uma inédita e massiva experiência negativa da espera".

Estas zonas de espera — que são tanto temporais quanto espaciais — criam um vácuo no qual, em uma homenagem irônica que Arantes faz a Umberto Eco, os *integrados* que estão nas elites políticas são transmutados em *apocalípticos*, pois passam a viver permanentemente em uma eterna sociedade de risco calculado, onde, é claro, o maldoso sistema capitalista será o responsável pela elaboração de um comércio sujo desta necessidade tão premente. O Acidente, a Queda — enfim, a Catástrofe —, não passam de um grande negócio corporativo. Para o discípulo tupiniquim de Hegel,

> onde o perigo se torna uma ameaça corrente, faz sentido que ele acabe assumindo uma forma institucional, conforme vá se cristalizando e adensando a 'política intervencionista' exigida pelo estado de emergência a que se resume uma gestão de riscos que por sua vez se revela como uma incubadora ela mesma de novos riscos desconhecidos. A literatura especializada costuma a se referir a essas catástrofes maiores que rondam as infraestruturas críticas como *crises sem inimigo*, mas que nem por isso deixam de ser socialmente desestabilizadoras e sobretudo responsáveis pela ressurreição recorrente, porém sob roupagem administrativa neutra, do poder soberano como poder de definir o estado de exceção.

Arantes amplia o conceito de Giorgio Agamben sobre o que significa o "estado de exceção", exagerando-o, por certo; mas faz isso também porque sua intenção é mostrar aos seus militantes que não há qualquer tragédia envolvida quando se faz uma revolução — confirmando assim a intuição desenvolvida por Enzo Traverso em *Melancolia da esquerda*. A exceção, aqui, não passa de uma outra palavra para "êxtase", em que

> a Revolução, uma vez acionado o alarme de incêndio que a máquina infernal do capitalismo não deixa de trazer instalado no seu sistema de válvulas de escape, é a única Saída de Emergência, e por mais assombroso que pareça, pela porta estreita e altamente ambivalente da Exceção. Há razões para essa bifurcação trágica, e elas não são banais nem filosoficamente neutras, pois a Exceção tanto anuncia a redenção quanto o fundo que uma parcela da humanidade tocou. Assim, não está excluído que a saída abra para o abismo. Ou para o círculo vicioso do colapso sem fim: basta imaginar o

mundo como um único campo de refugiados de catástrofes humanitárias, ou a famigerada sociedade global finalmente alcançando seu ideal, isto é, exclusivamente composta de médicos socorristas e vítimas, sendo o *capitalismo do desastre* enfim apenas a última palavra nos negócios da fronteira.

Entre os apocalípticos e os integrados, e os apocalípticos que se metamorfosearam em integrados, Paulo Eduardo Arantes — e, por consequência, todo um espectro da esquerda radical brasileira que assume ser influenciada por seus escritos, como o MPL, o PSOL e o PC do B, além do *capo di tutti capi*, o PT — se apresenta como se fosse, junto com seus discípulos, o mais puro cavaleiro do apocalipse.

O ambiente histórico nacional permite esse tipo de atitude; afinal, segundo Arantes, ainda estamos vivendo no clima repressivo de 1964, sem tirar, nem pôr, com a sutil diferença de que os *governos social-democratas obscurantistas* de Fernando Henrique Cardoso e Luiz Inácio Lula da Silva (segundo a brilhante acepção de Paulo Mercadante) apenas administraram o golpe, sufocando a população comum em uma burocracia que nos oprime sem hesitar, com a intensificação das "zonas de espera" de tal maneira que o tempo morto do novo século não tem outra meta exceto explodir em uma revolta.

Se aceitarmos essa perspectiva sem qualquer questionamento, essa revolta foi justamente o que aconteceu em junho de 2013. E aqui Arantes começa a manobrar a linguagem como poucos — aliás, um hábito da maioria dos intelectuais de esquerda. De acordo com seu idiossincrático dicionário — quando resume o ímpeto de um manifestante de que "agora há reação", ou quando apropria o termo "profanação" dos textos de Agamben para defender as depredações contra bancos e monumentos públicos, além dos choques com a Polícia Militar e os coquetéis molotov jogados contra as pessoas que apenas transitavam normalmente nas ruas —, tudo isso (e muito mais) seria motivo para que a Revolução chegasse à sociedade brasileira com tal impacto a ponto de todos admitirem, sem exceção, que aquele junho fora um marco para a paz total.

O problema é que, como sabemos, não houve qualquer espécie de paz. O que aconteceu depois das movimentações promovidas pelo MPL em junho de 2013 foi uma reviravolta sem precedentes e de tal magnitude que, a partir deste instante do "novo tempo do mundo", a Nova República começou a cair — e a revolta das elites do PT foi sendo substituída sorrateiramente pela revolta do subsolo comandada nas sombras por Olavo de Carvalho e Jair Bolsonaro.

Com seu figurino à la Carlos Drummond de Andrade e seu bigodinho pintado de preto, junto com os óculos que lhe dão a impressão de ser um Fernando Pessoa redivivo, Paulo Eduardo Arantes termina o seu tratado teratológico como se estivesse em uma das aulas públicas que deu aos jovens do MPL, ao fazer, via megafone, o seguinte comentário sobre a "morte trágica de um jornalista" — que tinha um nome, chamava-se Santiago Andrade e faleceu por causa de um rojão atirado por dois manifestantes em 10 de fevereiro de 2014 —, evento que foi "a gota d'água na qual nos afogaremos todos":

> [...] Os demônios de agora — exorcizados por toda uma nova era de paz civil — abandonaram o corpo da nação para se refugiar numa outra manada de porcos, a que tomou conta das ruas de Junho, ao invés de cumprirem à risca seu destino evangélico, atirando-se de um precipício urbano qualquer para se afogar nas águas de algum jardim pantanal. Para que o exorcismo surta efeito, é preciso que o demônio diga o seu nome. Na parábola bem conhecida do Novo Testamento, o Possesso de Gerasa teria respondido: "Legião é o meu nome, porque somos inumeráveis." [...] Daqui para a frente, haverá muita morte acidental de um anarquista, e não será comédia. Embora sem saber se o que nos espera varrerá tudo o que foi escrito até aqui para a lata do lixo dos ornamentos filosóficos, continuemos. Não se trata de uma questão metafísica a ser disputada entre doutrinários qualificados, um diálogo platônico sobre o Uno e o Múltiplo, por exemplo, ou um capítulo da Ciência da Lógica sobre o lugar da particularidade entre o universal abstrato e as singularidades avulsas, mas não é menos verdade que o turbilhão terminológico dos dois autores incriminados nos arrasta para estas altas paragens da especulação. Por outro lado, por mais que os autores insistam que o conceito de Multidão é um conceito de classe, e que esta é determinada pela luta, ninguém acredita. Tanto melhor, no fundo a teoria não importa, no sentido de representação ou cópia conforme do mundo. Ou por outra, o que aparece aqui travestido na roupagem de

um conceito teórico seria melhor descrito como expressão de uma prática antagonista de insubordinação diante de um poder soberano, a que nos habituamos chamar governo. Não importa o recheio ontológico ou sociológico com que levamos o conceito de Multidão ao forno, o que de fato está chocando e enfurecendo é o poder coletivo exibido por muitos corpos juntos na rua, demonstrando ser o mais efetivo instrumento de oposição, e pior ainda, sem clamar por um chefe — e não só aqui, essa praga está se alastrando pelo mundo. Capaz de agir em comum sem ser governada, desafia não só o Estado que necessita agora de um povo unido em torno da pátria de chuteiras, mas igualmente os partidos que precisam da *massa* de eleitores-consumidores organizados por nichos de demanda, bem como os movimentos e organizações sociais cujos cadastros definham se o *público-alvo* fica muito arisco, e o Capital, enfim, por tudo o que se disse, somado ao zelo indispensável aos envolvidos na procura de um bem escasso chamado emprego. Pois essa legião sem nome começou a mostrar a cara em junho. Mas por que demoníaca?

Porque, meu caro professor, é o que a "legião" de qualquer espectro político faz: *destruir, destruir* e *destruir* — sem construir nem para o passado nem muito menos para o futuro. A Revolução *é* trágica — e pouco importa o modo como Arantes usa e abusa da citação bíblica: o fato é que adjetivar a revolta como "demoníaca" é o mesmo que glamorizá-la como se fosse algo essencial para a sociedade, um comportamento a ser posteriormente seguido por outros luminares da esquerda, como Eduardo Viveiros de Castro e João Cézar de Castro Rocha.

Na verdade, estamos falando de assassinato, puro e simples, sem eufemismos ou metáforas. E Arantes ameniza exatamente isso, sob o nome de "profanação" ou "reação". A nossa sorte é que ninguém tem controle sobre o processo histórico e, portanto, não seria obrigado a suportar o que aconteceria se houvesse realmente a revolta prevista pelo exegeta do "novo tempo do mundo". Contudo, a experiência do fracasso é o que motiva e sustenta este tipo de pensamento da esquerda. E é o suficiente para ela renascer das cinzas, já que, dentro de seu próprio empreendimento especulativo, encontra-se a semente da derrota da qual surge a mais pura melancolia.

5.

Este é o sentimento que Ruy Fausto tenta explicar para si mesmo ao escrever o livro que serviu como uma resposta aparentemente equilibrada ao tratado hiperapocalíptico de Paulo Eduardo Arantes — *O ciclo do totalitarismo* (2017). A sua verdadeira pergunta, entretanto, é talvez mais pessoal, já que Fausto não consegue se libertar dos grilhões marxistas e não consegue escapar da "sedução diabólica" que ainda emana das páginas do autor de *O capital*: por que o Comunismo fracassou? E mais: como uma ideologia que deveria fazer somente o bem se deixou corromper, até se tornar mais uma variante do totalitarismo?

Em primeiro lugar, temos de saber qual é o conceito de totalitarismo usado por Ruy Fausto. Para ele, existem dois tipos deste fenômeno político — o da esquerda (que chama de "totalitarismo igualitarista") e o da direita (cujo bode expiatório sempre é o nazismo e cuja versão mais recente, de acordo com essa classificação, também pode ser o fundamentalismo islâmico). Fausto afirma que, por causa dos acontecimentos trágicos do século XX, "nos deparamos com uma realidade que tem de ser repensada". Para isso, faz um malabarismo técnico tão virtuosístico quanto o de Paulo Eduardo Arantes, ao explicar que o "ciclo" do título consiste em analisar o fato de que

> os poderes comunistas — o russo, por exemplo — começam com formas que são autoritárias (pré-totalitárias, se se quiser) e depois evoluem (involuem) para formas totalitárias. Essas formas, por sua vez, envelhecem ou se rompem e dão origem a um pós-totalitarismo que tem alguma coisa em comum com o pré-totalitarismo (ou autoritarismo) de que partiu. [...] Há também um [outro] ciclo no sentido de que se parte de sociedades se não capitalistas, pelo menos com presença capitalista (as sociedades russa e chinesa do *ancien régime*), e se volta ao capitalismo, agora pleno ou suficientemente desenvolvido.

Destaque-se um detalhe desse sinuoso raciocínio: o grande problema, para Fausto, não são os mais de 100 milhões de mortos que ambos os totalitarismos provocaram, mas se o autoritarismo ou o totalitarismo dessas sociedades aceitaram ou recusaram o tão famigerado sistema capitalista.

É o reino da abstração em seu esplendor. Não adianta nada afirmar logo depois que sua intenção é delimitar uma autocrítica para a esquerda, assim como não adianta nada escrever em seguida que

se examinarmos os partidos de esquerda dominantes no cenário brasileiro de hoje, creio que lá encontraremos, entre militantes e simpatizantes, três tipos de individualidades: socialistas democratas, que querem uma evolução no sentido de uma radicalização *não* autoritária; ativistas, que, pelo contrário, continuam acreditando mais ou menos firmemente se não no totalitarismo pelo menos no pós-totalitarismo autoritário (em particular, que comungam com um poder do tipo do dos irmãos Castro); e, finalmente, oportunistas e carreiristas de toda sorte. É a segunda categoria a que mais nos interessa aqui, mas as observações podem servir de uma forma mais geral. A primeira coisa a ressaltar é a ignorância por parte dessa massa de membros ou simpatizantes de partidos da melhor literatura política, aquela que é indispensável para quem quiser entender a nossa época, incluindo os cem anos que nos precederam. É impressionante como grande parte da literatura crítica internacional de esquerda, como da literatura que não é propriamente de esquerda, mas que é indispensável para entender o nosso mundo, fica fora do alcance do público intelectual de esquerda. Em parte, esses livros, jornais e revistas [...] não chegam ao Brasil. Quando chegam, mais precisamente quando estão traduzidos para o português, têm duas características: quem os publica não são geralmente as editoras que editam os livros considerados de esquerda (às vezes, até frequentemente, é a própria direita que se encarrega da publicação deles) e, ainda, o público de esquerda não os lê. Provavelmente, são os próprios editores simpáticos à esquerda que, conhecendo os preconceitos dominantes da esquerda, evitam publicá--los. E assim se constitui um círculo vicioso, círculo vicioso paradigmático, que não vale só para a questão das publicações. O resultado — ou isso é a causa? — é uma esquerda que não deu quase nenhum passo no sentido de repensar a fundo a questão da democracia, que continua mistificando o papel da violência, que não abandona suas ilusões com os governos "socialistas" ou "anti-imperialistas".

Nada disso é válido porque não passa do resmungo de um intelectual que, no fim, só está chateado porque a "esquerda não lê". Tirando uma referência passageira ao "papel da violência", Ruy Fausto não fala do principal — o fato de que o totalitarismo de esquerda matou mais seres humanos do que o totalitarismo de direita, se é que se pode fazer tal distinção no meio de tanto horror. Pois é justamente isto o que falta no seu conceito do que seria totalitarismo: ele não consegue perceber que pouco importa pertencer a uma ideologia, a um partido, a uma seita ou a um sistema político e econômico. Importa aqui compartilhar de um mesmo tipo de imaginação, sob o qual a pessoa é reduzida como se fosse um inseto, denegrida na sua dignidade, simplesmente porque "a imaginação totalitária" (segundo o termo de Francisco Razzo) deseja alterar completamente a natureza humana.

O erro fatal de Ruy Fausto é o mesmo de Mark Lilla — e também é o de Enzo Traverso e Paulo Eduardo Arantes: destroem o homem em função de uma humanidade abstrata que jamais existiu, exceto em suas mentes descoladas da realidade.

O mesmo acontece com Marcos Nobre, que, com seu *Como nasce o novo*, completa o ciclo iniciado por Arantes e Fausto ao substituir os alicerces filosóficos da melancolia de esquerda — no caso, a Teoria Crítica da Escola de Frankfurt, o "marxismo ocidental" que José Guilherme Merquior tanto abominava — por uma reelaboração da ação revolucionária. Resultado de sua tese de livre-docência e uma leitura cerrada da introdução da *Fenomenologia do espírito* (traduzida pelo próprio Nobre), de ninguém menos que Hegel — este demiurgo da superação da filosofia —, o livro é um dos melhores exemplos do método batizado pelo mesmo Paulo Arantes como "um departamento francês de ultramar".

Apesar de ser impecável em termos técnicos, não há algo tão novo assim em seu argumento filosófico, como ocorre com qualquer esquerdista de renome. Ele se pergunta se o prisma pelo qual o escrito de Hegel deveria ser analisado nos nossos dias — no caso, a Teoria Crítica — não estaria contaminado pelo desespero de não compreender as decisões surgidas dos impulsos produzidos na própria época em que vive um pensador.

No caso de Hegel, eram a Revolução Francesa, o surgimento de Napoleão e a restauração monárquica. Portanto, o que seria no caso de Nobre? As revoltas brasileiras de 2013, abertamente defendidas por Arantes em *O novo tempo do mundo*? A polarização ideológica que tomou o país desde então e que se agravou com as eleições de 2018, em especial com a vitória de Jair Bolsonaro? Ambas as opções?

O próprio professor afirma que o impasse de aceitar a Teoria Crítica como forma de interpretar o mundo atual, especialmente por meio das obras de Axel Honneth (o mais revolucionário de todos os discípulos desta tradição reflexiva), implica uma alternativa caduca segundo a qual as propostas da Escola de Frankfurt para a novidade surgida no início do século XXI seriam demasiadamente vagas, senão ultrapassadas, para orientar tanto "o pensamento como a ação transformadora". Que o leitor não se engane ao ler este último termo: o que Nobre quer dizer mesmo é "revolução" — feita com aquele ímpeto jacobino que mistura igualdade e oportunidade, no desconhecimento de que, hoje e sempre, fazer isso é como tentar misturar água e óleo. A única diferença entre a Teoria Crítica do passado e o surgimento do novo proposto pelo brasileiro é que, se antes a igualdade seria conquistada com a subversão das instituições do Estado, agora o êxtase da destruição deve ser completo e irreversível, desde que, claro, um bom professor universitário seja o Paráclito espiritual.

6.

O problema é que, em *Como nasce o novo*, não se sabe se Marcos Nobre quer ou não interpretar o mesmo papel pretendido por Paulo Eduardo Arantes. A perfeição técnica do seu raciocínio nos impede de perceber a decisão de imitar seu mestre hegeliano, que, na prática, seria realmente desesperadora (para ele e para todos nós). É uma contradição intrínseca para quem pensa nos moldes da Teoria Crítica, na qual a busca por uma "razão comunicativa" (o termo favorito de Jürgen Habermas, um dos representantes supostamente equilibrados desta esquerda que sempre precisa se reconstruir) a qual amenize os problemas do mundo é, no fundo, segundo o diagnóstico preciso de Roger Scruton em *Tolos, fraudes e militantes* (2015), uma "necessidade religiosa plantada profundamente em nosso ser genérico", um "desejo por pertencimento que nenhuma quantidade de pensamento racional, nenhuma prova de absoluta solidão da humanidade ou da natureza irredimível de nossos sentimentos pode erradicar".

Eis aqui o verdadeiro impasse da esquerda. Se continuar nesse caminho obviamente autodestrutivo, só lhe sobrarão duas opções. A primeira é a que foi sugerida por Lilla: recuperar seu prestígio por meio de uma "educação do imaginário" que permita o acesso democrático a cargos governamentais, talvez para promulgar o aborto do ser humano como lei suprema. A segunda, a que foi elaborada minuciosamente por Arantes e Nobre — ou seja, a violência transfigurada, pondo em risco a sociedade brasileira.

No fundo, ambas são trágicas; porque suficientemente maliciosas para mudar o eixo do conhecimento humano, permitindo que o poder se sobreponha à verdade, como se esta não fosse mais importante na busca filosófica. E, ao fazer isso no nosso meio cultural, a esquerda não apenas ganha todas as batalhas; ganha a guerra contra aquilo que deveria ser o nosso bem mais precioso: o espírito.

Por alguma ironia do destino, foi Theodor Adorno quem registrou a encruzilhada trágica da filosofia — e das suas variantes, como a poesia e a política — em um mundo onde ela não sabe mais como superar tal aporia. No último microensaio de *Minima Moralia*, sua obra-prima publicada em 1951, após a desgraça que foi a Segunda Guerra Mundial, ele escreve que "a filosofia, segundo a única maneira pela qual ela ainda pode ser assumida responsavelmente em face do desespero, seria a tentativa de considerar todas as coisas tais como elas se apresentariam a partir de si mesmas do ponto de vista da redenção".

O xis da questão é que, em uma sociedade democrática em que cada decisão política não consegue mais alcançar o Bem Comum, fica evidente que não há mais possibilidade de salvação se esta for dependente do puro valor do intelecto.

A consequência direta disso é que, como argumenta Benedito Nunes, a vinculação completa da filosofia àquilo que Marx chamava de "desalienação do homem", em conjunto com a abolição da propriedade privada (a raiz de todos os males, de acordo com a esquerda que se recusa a lidar com sua melancolia), implicaria, sobretudo, uma "conversão ontológica"; uma "existência redimida e sem Mal, que tem na reciprocidade sem conflitos uma espécie de nova riqueza coletiva", diluindo os "problemas filosóficos" antes resolvidos somente na "intimidade do pensamento".

A redenção — na filosofia, segundo a perspectiva deformada da esquerda — só acontecerá se o espírito da primeira for trucidada pelo antiespírito da segunda. É o poder em seu estágio mais cru, naquela política em que a verdade fica em segundo plano, conforme sugeriu Mark Lilla na epígrafe que abre este capítulo. Nem Adorno ousou assim. Ele ainda tinha algum respeito pelo *eros* filosófico, ao declarar que "quanto maior é a paixão com que o pensamento se fecha contra seu condicionamento por amor ao incondicionado, tanto mais inconsciente, e por isso mais fatal, é o modo pelo qual ele fica entregue ao mundo. Até mesmo sua própria impossibilidade tem que ser por ele compreendida, a bem da possibilidade. Mas, diante da exigência que a ele se coloca, a própria pergunta pela realidade ou irrealidade da redenção é quase que indiferente".

É a consciência aguda desta indiferença que fará a esquerda sair de seu impasse atual. Portanto, a quem ainda grita aos quatro ventos que a direita venceu, por causa das eleições de Donald Trump e Jair Bolsonaro, convém saber que o novo tempo do mundo nunca terminou. Na verdade, graças ao fato de que não há mais a redenção ou a superação da filosofia, capaz de nos orientar nas águas turvas (e trágicas) da política, ele está apenas começando.

7.

As ruínas circulares

Não podemos olhar fixamente nem o sol nem a morte.
La Rochefoucauld

1.

No "Manual do usuário" de *O imbecil coletivo* (1996) — a parte final da trilogia que compõe, com *A nova era e a revolução cultural* (1994) e *O jardim das aflições* (1995), o seu panorama crítico do ambiente brasileiro —, Olavo de Carvalho escreve um trecho em que expõe sinteticamente o método da "dialética simbólica" e propõe, a partir da reavaliação da atmosfera intelectual analisada nesses livros, restaurar a filosofia como percurso para uma purificação da alma.

É quando afirma que, ao decifrar a famosa gravura de William Blake, inspirada no Livro de Jó (e frontispício às primeiras edições de *O imbecil*), os monstros bíblicos Behemot e Leviatã representam forças abissais da natureza, "o primeiro imperando pesadamente sobre o mundo, o maciço poder de sua pança firmemente apoiado sobre as quatro patas, o segundo agitando-se no fundo das águas, derrotado e temível no seu rancor impotente".

Apoiado naquilo que afirma ser "a aplicação rigorosa dos princípios do simbolismo cristão", Olavo escreve que Blake percebeu como poucos um grande "contraste [entre] o poder psíquico e [o] poder material: Behemot é o peso maciço da necessidade natural, Leviatã é a infraestrutura diabólica, invisível sob as águas — o mundo psíquico — que agita com a língua".

Esses dois monstros habitam, de uma forma ou de outra, tanto o cenário da história humana quanto o interior da nossa alma, cada um sendo respectivamente o espírito da negação e da rebelião. Neste combate, o autor explicita que "não é ao homem, nem a Behemot, que cabe subjugar o Leviatã. Só o próprio Deus pode fazê-lo". E acrescenta:

> A iconografia cristã mostra Jesus como o pescador que puxa a Leviatã para fora das águas, prendendo sua língua com anzol. Quando, porém, o homem se furta ao combate interior, renegando a ajuda do Cristo, então se desencadeia a luta destrutiva entre a natureza e entre as forças rebeldes antinaturais, ou infranaturais. A luta transfere-se da esfera espiritual e interior para o cenário exterior da História. É assim que a gravura de Blake, inspirada na narrativa bíblica, nos sugere com a força sintética de seu simbolismo uma interpretação metafísica quanto à origem das guerras, revoluções e catástrofes: elas refletem a demissão do homem ante o chamamento da vida interior. Furtando-se ao combate espiritual que o amedronta, mas que poderia vencer com a ajuda de Jesus Cristo, o homem se entrega a perigos de ordem material no cenário sangrento da História. Ao fazê-lo, move-se da esfera da Providência e da Graça para o âmbito da fatalidade e do destino, onde o apelo à ajuda divina já não pode surtir efeito, pois aí já não se enfrentam a verdade e o erro, o certo e o errado, mas apenas as forças cegas da necessidade implacável e da rebelião impotente.

A "luta interior" defendida por Olavo de Carvalho é sustentada, na sua filosofia, por aquilo que chama de uma busca obsessiva pela "unidade do conhecimento na unidade da consciência e vice-versa". Esta experiência seria traduzida, tanto em conceitos como em ações, no *filosofema*, "o sistema ideal de intuições e pensamentos que se oculta por trás dos textos, sistema que os textos refletem de maneira irregular e desigual, por vezes com partes faltantes, e que só pode ser contemplado por quem o reconstitua", conforme é explicado no estudo "Poesia e filosofia" (que pode ser encontrado no importante volume escrito por Olavo, *A dialética simbólica*).

Contudo, esta unidade não se dá de maneira plena, mas fragmentada, em um estado de rascunho, como Olavo acrescentaria posteriormente em outro texto, "Da contemplação amorosa" (1995). O que une esses esboços seria justamente o *filosofema* — e aqui ele expande um pouco mais o que este termo significa, ao escrever que se trata do

> conteúdo essencial de uma conexão de pensamentos, intuições e outros atos cognitivos que forma o mundo e o estilo próprios de um determinado filósofo. É isto o que nos permite distinguir entre "as obras de Aristóteles" e "a filosofia de Aristóteles". [...] Há filósofos sem obra — a começar do pai de todos nós: Sócrates; há filósofos cujo pensamento nos chega por obras escritas por testemunhas ou por ajudantes (não conheceríamos o pensamento de Husserl sem a redação de Fink). Mas não há filósofo sem filosofema — e aquele que publique dezenas ou centenas de livros eruditíssimos, com opiniões de estilo filosófico sobre assuntos filosóficos, não se torna por isto um filósofo. A filosofia de um filósofo não está em seus textos, *mas num certo modo de ver as coisas, que é transportável para fora deles e participável por quem quer que, saltando sobre os textos, faça esse seu modo de ver, integrando-o no seu próprio*. [grifos meus]

A busca por unidade empreendida por Olavo de Carvalho em seus escritos é parte de um grande problema que atacou a modernidade, atingindo especialmente o século XX, problema que o filósofo brasileiro sem dúvida quer resolver a seu modo: o da superação do impasse epistemológico e ontológico da filosofia — e que se resume, *grosso modo*, a um questionamento a respeito do sentido primordial do Ser.

Neste ponto, é evidente que Olavo pretende não só recuperar o que é o verdadeiro sentido do Ser como também restaurá-lo dentro daquilo que acredita ser a própria tradição filosófica; isto em uma sociedade possessa pelo "novo tempo do mundo", promulgado pela filosofia desesperada de um Paulo Eduardo Arantes, vista no capítulo anterior deste livro.

Por mais que queira negar tal fato, Olavo é, na cultura brasileira, uma consequência deste impasse, que, segundo Benedito Nunes, ainda não foi superado.

No ensaio "Os círculos de Heidegger", Nunes parte do projeto de destruição da história da ontologia concebido pelo autor de *Ser e tempo* — por quem, aliás, Olavo nutre nenhuma simpatia — e estabelece que a crítica feita pelo filósofo alemão tem como alvo "a concepção de Hegel, segundo a qual todas as doutrinas filosóficas fazem parte, com igual direito, de uma mesma história do pensamento, história que desenvolve contradições e que as ultrapassa, tornando-se mais concreta e mais verdadeira em cada um dos seus momentos evolutivos".

Com sua "dialética simbólica", Olavo tenta absorver e superar Hegel, aceitando as imperfeições na unidade de seu pensamento conforme surgem no curso concreto da História. Apesar de Nunes falar de Heidegger no trecho a seguir, não interessa a Olavo imitar o percurso desses dois teutônicos. Ele não tem a intenção de encontrar nessa "história" a "única verdade", a "verdade de fato com que podemos contar, constituída por meio de um processo intemporal irrecorrível, cujas faces a filosofia recompõe. A pergunta ontológica, uma vez feita na antiguidade, por Parmênides ou por Aristóteles, recebeu de um e de outro as únicas respostas que poderia ter recebido, e logo foi superado no movimento dialético e evolutivo do espírito, ultimado de acordo com o caráter das épocas e as condições de cultura dos diversos povos".

Ao contrário de Hegel — e de Heidegger —, Olavo de Carvalho não se preocupa em formatar um "sistema total" porque, graças à noção intuitiva da contemplação amorosa, reconhece que a realidade só pode ser captada em partes ou de maneira limitada. Entretanto, nada disso retira a apreensão completa que o homem comum pode ter da existência do Ser, mesmo em seus detalhes cotidianos. É nesta tensão simultânea — que há entre seis polos antropológicos ("origem-fim", "natureza-sociedade", "imanência-transcendência") — que todos nós vivemos. E é dentro dela que Olavo pretende captar na sua filosofia.

2.

É no limiar da expressão entre a unidade e a multiplicidade — acentuada pela tensão descrita acima — que Olavo de Carvalho começa, então, a construir o edifício de sua teoria da ação e da sociedade, a partir das aparentes oposições entre poesia e filosofia. No texto de mesmo nome, fica cristalino o esforço hercúleo que faz para superar, a qualquer custo (especialmente pessoal), o impasse filosófico descrito por Benedito Nunes. Como o próprio Olavo afirma, a diferença essencial entre o poeta e o filósofo é que o primeiro, para comunicar com eficácia as suas impressões ou sentimentos sobre o mundo, precisa "dialogar com a tribo" — isto é, com seus contemporâneos e quem vier depois deles —, enquanto o segundo "dialoga com o Ser"; uma afirmação que, aliás, Heidegger subscreveria, pelo menos antes de se reencontrar com a obra de Friedrich Hölderlin, no final dos anos 1930.

Se, em suas prelações dessa época sobre o poeta romântico — que era companheiro universitário de Hegel, diga-se de passagem —, o autor de *Caminhos da floresta* busca uma integração plena entre as ações do poeta e do filósofo, sem ver qualquer dicotomia nelas, Olavo de Carvalho vai pela trilha oposta. Para ele, é nítido que a primeira coisa que um filósofo faz "é voltar as costas à comunidade, para ir perguntar, à experiência, não o que ela pode dizer ao mesmo tempo a todos os homens reunidos em torno da fogueira, mas sim apenas aquilo que ela deve acabar por dizer, se tudo der certo, àqueles poucos que continuarem a contemplá-la detidamente até que ela se abra e mostre seu conteúdo inteligível".

Neste ponto de vista, a prática da filosofia seria essencialmente uma tarefa *esotérica* — ou seja, voltada para dentro de um grupo de iniciados que possa entendê-la em seu esplendor. Aqui, Olavo nada tem de diferente de um Platão ou de um Hegel. Mas deve-se entender essa atitude do filósofo em geral não como uma forma de querer esconder propositadamente o seu conhecimento. Muito pelo contrário: ele precisa fazer isso para que as definições sobre um determinado assunto importante fiquem cada vez mais claras, tanto para si mesmo quanto para aqueles que podem acompanhá-lo nas suas descobertas.

Afinal, se a pergunta filosófica por excelência é *Quid?* ("Quê?") — Que é o homem? Que é a morte? Que é o bem? Que é a felicidade? —, ainda assim a reflexão não consegue chegar ao que seria a essência de algo. Trata-se apenas de uma aproximação. É por esse motivo que Olavo explica que as essências, ou quididades, revelam-se no ato intuitivo que contempla a presença de um objeto, cujo conteúdo noético o filósofo não faz senão reproduzir com a máxima fidelidade e exatidão possíveis. Sua atividade é tanto quanto a do poeta, um traslado da experiência, interior ou exterior. Todo juízo definitório, quando seu objeto é um ente e não uma simples possibilidade lógica inventada — e às vezes mesmo neste caso —, é sempre a pura formalização lógica de um conteúdo intuído, que a memória fixa e o discurso interior descreve.

Por outro lado, a intuição não pode ficar guardada na vida interior do filósofo. Ele precisa comunicar a verdade que viu, a despeito dos que possam combatê-la porque isso não seria confortável para a vida em sociedade. É neste embate com a *polis* — simbolizado no confronto histórico de Sócrates, Platão e Aristóteles com os retóricos e os sofistas — que a filosofia torna-se enfim dialética e, "por meio dela, reflexão e diálogo: mas diálogo que visa a restaurar apenas, por cima da rede das ilusões do discurso corrente, a intuição primeira das essências autoevidentes. E tanto quanto não pode revelar essências, a reflexão — exceto na acepção de rememoração descritiva — não pode levar ao conhecimento dos princípios e axiomas".

Assim, apesar do caminho dialético habitual — muito diferente da dialética simbólica defendida por Olavo, como veremos — ser um "encaminhamento e aquecimento da inteligência para o despertar da intuição", a intuição descoberta pelo filósofo deve atender, "de um lado, à realidade dos dados e, de outro, às convenções de vocabulário e às exigências técnicas da exposição lógica ou dialética, consagradas pelo uso na comunidade de ofício".

Segundo o desdobrar deste método, a diferença entre o procedimento de reflexão do filósofo e o do poeta é que este último "tem de transformar o intuído, o mais imediatamente possível, em moeda corrente; tem lançar desde logo o conteúdo noético [o qual já é, certamente, forma poética] de uma experiência que pode ser fortemente individual, na água corrente do vocabulário comum, para fazer dela uma posse de todos os homens na linguagem do seu tempo e do seu meio". Já quem pratica a filosofia precisa entender que é impossível "deter-se indefinidamente na crítica e repetição da sua experiência, para obter mais clareza, para integrá-la mais profundamente na estrutura do seu ser pessoal, para distingui-la nas adjacências e circunvizinhas, para fazer dela, progressivamente, parte de experiências cada vez mais amplas, para adquirir sobre ela a certeza de que *ela não revelou só um aspecto passageiro e acidental, mas a natureza mesma do seu ser*". [grifos meus]

A unidade do ser só poderá ser conquistada pelo modo como o conhecimento da experiência concreta desta sabedoria será transmitido. Na poesia, este mesmo conhecimento jamais será hermético, sob pena de ser "uma falha intolerável"; mas o conhecimento adquirido pelas vias da filosofia só pode ser, "em princípio, coisa para filósofos, e só raramente para o povo inteiro — exceto quando à vocação do filósofo se soma a do artista, ou do pedagogo, ou do orador e homem político, o que certamente é acidental e não exigível", pois "a comunicação, a forma concreta da obra escrita, é em filosofia o momento acidental e menor de uma atividade que consiste, fundamentalmente, em conhecer e não em transmitir".

Portanto, para Olavo de Carvalho, a poesia é a "sabedoria que bate à porta dos homens". Já a filosofia "não busca ninguém", porque é a própria "busca da sabedoria". Parece uma tautologia, mas não é, uma vez que, apesar de ser uma busca literal e direta, infelizmente "o filósofo não poderá comunicar senão uma parte pequena, e às vezes nada".

Entre as duas atividades não há um desentendimento completo, nem uma identificação de todo. Novamente, encontramos a tensão antropológica já antes descrita, que será sintetizada, em seu aspecto filosófico, na forma plena do "portador do saber", o mesmo homem que refletiu e carrega essa sabedoria tão especial para ser comunicada a toda sociedade. Daí a imperfeição da escrita ou até mesmo da transmissão oral, pois

> o livro, o tratado, a aula, nunca é senão a condensação do saber nuns quantos princípios gerais e sua exemplificação numas quantas amostras; e o saber, o verdadeiro saber, se abriga naquele núcleo vivo de inteligência

que permanece no fundo da alma do autor após encerrado o livro, e que saberá dar a esses princípios outras e ilimitadas encarnações e aplicações diversas, imprevisíveis, surpreendentes ou mesmo paradoxais, conforme a variedade inabarcável das situações da existência. Só em Sto. Tomás residiu a sabedoria de Sto. Tomás. Nós outros não podemos ser senão *tomistas*, o que é um Sto. Tomás fixado e diminuído, compactado por desidratação.

Apesar desta lacuna entre o que foi apreendido e o que foi comunicado pelo filósofo, ainda assim é fundamental ver todos os seus registros — os escritos menores, as cartas, os rascunhos, as entrevistas, as transcrições de aula — como uma *unidade*, até mesmo para que fiquem perfeitamente orgânicos e coerentes ao *filosofema* que se encontra cifrado na sua obra. Ao mesmo tempo, deve-se olhar este conjunto inacabado, que deve ter a aprovação do filósofo como "expressão adequada de seu pensamento — ou que, mesmo sem essa aprovação explícita, possa ter o valor de um testemunho fidedigno" — , como "parte integrante de sua Obra, na medida em que ajudam a perfazer o *filosofema* em que ela consiste essencialmente. Mas o *filosofema*, por sua vez, não se perfaz somente num sistema ideal de teses abstratas, e sim também nas atitudes pessoais concretas com que o filósofo lhes deu interpretação vivente ante as situações da existência: a altivez de Sócrates ante a morte é a exemplificação concreta da moral socrática, que entenderíamos diversamente, de maneira mais figurada e menos estrita, caso seu autor houvesse mostrado fraqueza ante os carrascos".

Olavo articula assim a distinção final entre quem *pratica* a poesia e quem *vive* a filosofia. Ele explica que, "de todas as atividades criadoras do espírito, a artística e literária é a que exige menos compromisso pessoal com o seu conteúdo: o que a arte exige do artista é a devoção à obra para criá-la, não a fidelidade a ela, depois de pronta". A obra salva o poeta; já com o filósofo, o que o redime são as ações que mostram que aprendeu com a própria filosofia, numa dicotomia simultânea que pode ser vista da seguinte maneira:

A relação do artista com a obra pronta é de total independência; a do filósofo [...] é de responsabilidade e continuidade. O artista, ao publicar suas criações, liberta-se delas. O homem de pensamento carrega-as como a cruz do seu destino: seja para defendê-las, seja para renegá-las, terá de tê-las sempre ante os olhos, para firmar no passado os atos do presente. A vida infame de um poeta é resgatada por seus escritos; os atos infames de um filósofo são a condenação de sua obra escrita. E bem longe do meu pensamento andará o leitor que compreenda tudo isto como um simples apelo moralístico à coerência entre atos e obras; pois não digo que essa coerência *deva* existir, mas que ela *existe necessariamente*, para o bem ou para o mal, e que por isso os atos de um filósofo devem ser incorporados à sua filosofia como interpretações operantes que o pensador deu ao seu próprio pensamento ao traduzi-los da generalidade das ideias para a particularidade das situações; que, portanto, em filosofia, os estudos biográficos não são externos e supervenientes em literatura, mas parte integrante, ainda que auxiliar, da compreensão do filosofema; a vida do filósofo está para sua filosofia como a jurisprudência está para os códigos.

Graças ao uso de sua incrível capacidade verbal, Olavo abre uma brecha que, sem eximir o fato de que a filosofia jamais exclui de si mesma os atos do filósofo que a pratica, ao mesmo tempo faz surgir a oportunidade para que se perceba (e aceite), dentro desta mesma unidade de pensamento, uma semente de contradição entre as ideias e as ações do "portador do saber". Aceitar este tipo de "movimento pendular" seria uma das características principais, segundo Olavo, daquela inteligência que é obediente à verdade revelada.

3.

Este é o tema principal da apostila "Inteligência e verdade", resultado de duas aulas dadas em 1994 no famoso Seminário de Filosofia, que posteriormente seria transformado, a partir dos anos 2000, no Curso Online de Filosofia (COF). Logo no início, Olavo de Carvalho deixa claro que a sua definição de inteligência "não quer dizer a habilidade de resolver problemas, a habilidade matemática, a imaginação visual, a aptidão musical ou qualquer outro tipo de habilidade em especial". Trata-se de algo mais sério e profundo: a inteligência seria a "capacidade de apreender a verdade", algo completamente diferente de pensar, já que se encontra na "realização da [sua] finalidade, e não na natureza dos meios empregados", e, por isso, só pode ser concebida como "a potência de conhecer a verdade por qualquer meio que seja".

A verdade se encontra com a inteligência (e vice-versa) quando compreendemos que "o essencial do ser humano, aquilo que o diferencia dos animais, não é o pensamento, não é a razão, nem uma imaginação ou [uma] memória excepcionalmente desenvolvidas". O ser humano só encontra a sua essência quando se depara com "tudo aquilo que imaginamos, raciocinamos, recordamos", quando "somos capazes de vê-lo como um conjunto e, com relação a este conjunto, podemos dizer um *sim* ou um *não*, podemos dizer: 'É verdadeiro', ou 'É falso'". Ou seja, o que um homem pratica, quando conhece de verdade, é uma *escolha*, um *julgamento* sobre o que *é* realmente uma coisa.

Portanto, a inteligência tem a ver com o que fazer quando estamos diante de impasses morais, impasses que envolvam opções difíceis e que, conforme o passar do tempo, possam desaguar em resultados trágicos. Assim, o *quid* do filósofo é uma pergunta que, ao mesmo tempo, envolve o conhecimento e a ignorância de um objeto, uma vez que "a coisa que se me oferece nesse instante não cumpre, não atende perfeitamente à condição exigida na palavra *quê* — aquela consistência, aquela coesão do estar, do agir e do padecer, aquela patência e sobretudo aquela fatalidade, aquele não-ser-de-outro-modo, aquela impositiva ausência de perguntas — e da capacidade de fazer perguntas — que me sobrevém quando sei o *quê*".

Essa definição de uma inteligência que vai além dos "meros atos mentais" é um contraponto ao "equívoco" que "acabou por ser oficializado e legitimado pela educação" oficial, segundo Olavo. Para resolver esse problema, ele propõe não só um método, mas, sobretudo, a criação de uma nova comunidade, que ensine ao sujeito a verdadeira prática da inteligência, aquela que "não consiste em atinar com um resultado verdadeiro, mas em *admitir* esse resultado como verdadeiro". Admitir, aqui, significa entender que a inteligência é um ato livre para "preferir um resultado falso" e, depois, "*crer* nesse resultado, isto é, assumir uma *responsabilidade pessoal* pela afirmação dele e pelas consequências que dele derivem". Chega-se, então, a uma definição mais precisa do que Olavo pensa ser o ato da inteligência: "É a relação que se estabelece entre o homem e a verdade, uma relação que só o homem tem com a verdade, e que só tem no momento em que intelige e admite a verdade, já que ele pode tornar-se ininteligente no instante seguinte, quando a esquece ou renega."

Contudo, para que essa definição seja prática, a inteligência deve parar de ser uma "faculdade puramente cognitiva" — o equívoco repetido *ad nauseam* pela educação do *status quo*, de acordo com Olavo — para ser entendida como uma "síntese de uma aptidão cognitiva e de uma vontade de conhecer", na qual há uma conexão entre a "desonestidade interior" e o "enfraquecimento da inteligência, que acaba sendo substituída por uma espécie de astúcia, de maldade engenhosa". Olavo detalha ainda mais essa afirmação — e a relaciona com a existência da elite intelectual do nosso presente momento:

> A astúcia não consiste em captar a verdade, mas em captar — sem dúvida com veracidade — qual a mentira mais eficiente em cada ocasião. O astucioso é eficaz, mas está condenado a falhar ante situações das quais não possa se safar mediante algum subterfúgio, que exijam um confronto com a verdade. A conexão entre a inteligência e bondade é reconhecida por todos os grandes filósofos do passado, do mesmo modo que a correspondente ligação, do lado do objeto, entre a verdade e o bem. [Quando examinamos os seguintes fatos, em que,] com frequência as nossas ações não são acompanhadas de palavras que as expliquem, nem mesmo interiormente; ou seja, [quando] somos capazes de agir de determinadas maneiras, explicando esses atos de maneiras exatamente inversas, precisamente porque as motivações verdadeiras, permanecendo inexpressas e mudas, se furtam ao julgamento consciente. Isso faz com que, pelo menos subsconscientemente, alimentemos um discurso duplo.
>
> A partir do momento em que você admite que uma coisa é verdadeira, mas procede, mesmo em segredo, mesmo interiormente, como se ela não o fosse, está mantendo um discurso duplo: num plano afirma uma coisa,

noutro afirma outra coisa. [...] Por isto a mentira interior é sempre danosa à inteligência: é um escotoma que se alastra até escurecer todo o campo da visão e substituí-lo por um sistema completo de erros e mentiras. Quando nos habituamos a suprimir a verdade com relação às nossas memórias, à nossa imaginação, aos nossos sentimentos e atos, esta supressão nunca fica só naquele setor onde mexemos, mas se alastra para outros territórios em volta e, tornando-nos incapazes de inteligir uma determinada coisa, nos tornamos incapazes para inteligir muitas coisas também. [...].

Mais tarde, quando desejarmos estudar um determinado assunto que nos interessa, ou entender o que está se passando na nossa vida, e não conseguirmos, dificilmente perceberemos que fomos nós mesmos que causamos esta lesão da inteligência. Noto em muitos intelectuais de hoje uma repugnância, uma defesa instintiva contra a verdade, a tal ponto que, mesmo quando desejam aceitá-la, tem de metê-la num invólucro de mentiras. O pior, nisso, é que com frequência essa lesão é compensada por um desenvolvimento hipertrófico das faculdades auxiliares, numa inútil excrescência ornamental [e, por isso,] muitas dessas inteligências lesadas alcançam sucesso nas profissões intelectuais.

Para não permitir que as outras pessoas sejam atingidas por essas "inteligências lesadas", Olavo de Carvalho propõe a construção de uma verdadeira "intelectualidade nacional", cuja definição seria "um número suficiente de pessoas capazes de perceber a verdade por si mesmas, e que não precisam ser persuadidas por ninguém", e que funcionariam espontaneamente como "fiscais da inteligência coletiva". A principal responsabilidade deste estrato da sociedade — que não precisa ser composto necessariamente de "pessoas que exercem profissões ligadas à cultura ou à inteligência" — é ajudar os povos a escolherem "entre a verdade e a mentira", fazendo o possível para dizerem a primeira e assim impedindo-os de se enganarem. Quem vai guiá-los nisso, Olavo ainda não revela nada a respeito deste feito, mas não hesita em afirmar o seguinte:

> Afirmo, peremptoriamente, que este é o caso da intelectualidade brasileira, que, na sua quase totalidade se utiliza de profissões culturais para fazer com que povo e a opinião brasileira a sirvam, confirmando suas crenças, das quais

ela não tem certeza pessoal alguma, e para as quais justamente por isso procura angariar um apoio coletivo. [...] Como é que a intelectualidade pode ao mesmo tempo pregar um relativismo dissolvente, onde os critérios do verdadeiro e do falso se diluem a ponto de se tornaram indistinguíveis, e ao mesmo tempo exigir que os políticos sejam honestos e digam a verdade ao povo? [...] Não resta dúvida de que a corrupção da sociedade começa com a corrupção da camada intelectual, *não* com a corrupção dos negócios ou com a política. [...].

Sem dúvida, Olavo está corretíssimo nesse diagnóstico. O problema começa a se apresentar quando ele propõe o seguinte tipo de cura para a situação caótica apresentada pela sua "crítica da cultura":

[...] Do ponto de vista de utilidade para o indivíduo o objetivo deste curso é o desenvolvimento da sua inteligência, [já] do ponto de vista social, cultural, o objetivo do curso é fornecer gente para uma futura elite intelectual verdadeira. O que é uma elite intelectual? É gente tão treinada para perceber a verdade quanto um boxeador está treinado para lutar e um soldado para fazer a guerra. Neste sentido, todas as nações que obtiveram um lugar de grandeza na história tiveram uma elite assim, formada muito antes de que o país alcançasse qualquer projeção econômica, política, militar etc. Pois não é possível resolver os problemas primeiro e se tornar inteligente depois. Em todo debate sobre problemas nacionais que atualmente está em curso só há uma coisa que todos estão resolvendo: *Quem* vai resolver estes problemas? *Quem* vai examiná-los? *Quem* tem a capacidade de examiná-los com efetiva inteligência? Se estas pessoas não existirem, então o problema inicial é formá-las. O objetivo prioritário deste curso é exatamente isto, se não formar, pelo menos contribuir para formar, amanhã ou depois, ao longo de talvez vinte ou trinta anos, uma verdadeira elite intelectual.

Logo depois da declaração explícita desta missão, Olavo toma muito cuidado ao ressaltar que, "com relação à formação de uma elite intelectual, não é preciso dizer que não é absolutamente necessário que os membros de uma elite deste tipo tenham opiniões concordantes, aliás, se tiverem opiniões discordantes, talvez até seja melhor em determinadas circunstâncias". Reparem neste detalhe: "determinadas circunstâncias". E *quais* seriam? *Quem* as determina? Aquele que ensina ou aquele que recebe o ensinamento?

Seriam os membros do Seminário de Filosofia — ou, atualmente, os do Curso Online de Filosofia? E qual seria o filtro da inteligência que faria a distinção essencial entre o que é verdadeiramente importante e o que são essas "determinadas circunstâncias"?

4.

Essas perguntas começam a ser respondidas quando lemos o ensaio "O espectro da heresia — um breve exercício na ciência do discernimento dos espíritos", escrito em 1995, quando Olavo de Carvalho tinha uma intensa amizade com o poeta Bruno Tolentino, cuja obra foi justamente o assunto deste texto. Partindo dos paralelos temáticos e formais entre um poema de Tolentino, "O espectro" (que seria, depois, a abertura da sua *magnum opus*, *O mundo como Ideia*, lançado no final de 2001), e a "A máquina do mundo", de Carlos Drummond de Andrade, o filósofo inicia o raciocínio com uma afirmação espantosa: a de que aqueles versos do autor de *As horas de Katharina* seriam apenas "um enganoso e temporário desmentido que o autor dá à sua própria obra de toda uma vida".

Deve-se deixar claro que este aviso não é um indício de menoscabo de Olavo por Tolentino. É justamente o oposto: ele faz este tipo de afirmação porque admira o trabalho do poeta. Como o próprio filósofo escreve à guisa de conclusão, é o destino de toda uma cultura, é todo um país, somos todos nós que sofremos "quando um homem desse porte, colocado pela Providência numa posição estratégica tão decisiva para os destinos de uma cultura nacional, é levado por uma inspiração suspeita a caminhar perigosamente pela beira de um abismo".

Então, qual seria este abismo? Para Olavo, o tal do desmentido exibido em "O espectro" jamais poderá ser visto como uma "escolha consciente do poeta, mas um desses lapsos monumentais em que a alma, por distração, favorece os seus inimigos, que a espreitam sem cessar para atravessar a ponte no momento em que o vigia adormeça". De acordo com o mesmo autor que produziu o texto "Poesia e filosofia":

E como a alma de um poeta é uma encruzilhada por onde passam todas as correntes de força de uma civilização, há entre inimigos algo mais do que os vulgares fantasmas inconscientes que neurotizam o homem comum: há correntes espirituais e históricas ocultas, esquecidas, muitas vezes milenares, que anseiam por utilizar-se da sua voz como de um canal por onde possam evadir-se da prisão subterrânea e saltar sobre a sociedade inteira. É grande e temível, por isto, a responsabilidade do poeta: abrindo-se para inspirações que o transcendem, e dando-lhes voz por um processo que não inclui necessariamente — que na verdade não inclui quase nunca — o exercício do discernimento dos espíritos, ele se torna por vezes o instrumento daquilo a que menos desejaria favorecer. É por isso que a interpretação de um poema vai muito além da averiguação das "intenções" pessoais do autor: ela se prolonga até as intenções ocultas do Espírito que, misteriosamente, delineia os caminhos da História.

Belas palavras, sem dúvida, típicas de quem conhece muito bem o encanto delas. Mas sobre o que é a causa desta celeuma? Ao comparar "O espectro", de Tolentino — cuja cena principal é o encontro do eu-lírico (que pode ser ou não o próprio poeta) com nada mais, nada menos que o fantasma de Charles Baudelaire, este vate maldito da modernidade, à beira do rio Tâmisa —, com a meditação feita por Drummond em "A máquina do mundo", em que o eu-lírico (que pode ser ou não o mineiro nascido em Itabira) finalmente conhece a engrenagem que explica o *cosmos*, Olavo de Carvalho julga perceber, no primeiro poema citado, "uma subcorrente que, por baixo da intenção conscientemente católica [de Tolentino], nos leva para um território que beira o satanismo".

Deixemos de lado a força dos advérbios, dos substantivos e dos adjetivos — e vamos direto para o que parece ser o problema do poema para Olavo. Na versão a que teve acesso (de 1995), antes do eu-lírico se encontrar com o espectro de Baudelaire, o poeta reflete a respeito de um "argumento de John Locke sobre a fortuidade da inclinação da Terra". Este detalhe o faz chegar ao seguinte raciocínio, uma vez que as citações feitas por Tolentino a esses dois nomes — um da filosofia, outro da poesia — seriam "falsas atribuições" dos seus papéis:

De um lado, John Locke não acreditava em nenhuma "luz conceitual" [uma das metáforas favoritas de Tolentino], criação pura da razão lógico-matemática que pudesse sobrepor — no sentido tolentiniano das expressões — o "mundo como ideia" ao "mundo como tal". O fundador do empirismo não podia, por definição, ter nada de platônico. Não só, para Locke, todo o conhecimento provém dos sentidos, mas também a razão mesma não é senão o produto de uma decantação mais ou menos passiva da experiência sensível, onde o agrupamento espontâneo dos dados em conjuntos semelhantes e diferentes vai estabelecendo por mera indução o sentido da identidade, as categorias lógicas, as formas do silogismo e tudo quando, em suma, compõe as estruturas do pensamento racional. Não existe aí nenhuma "luz conceitual": o conceito é, ao contrário, nada mais que resíduo ou mera sombra projetada pela realidade sensível.

Em seguida, Olavo sugere que, no lugar de Locke, o melhor seria "algum apóstolo do racionalismo absoluto — Spinoza, Hegel —, ou então algum logicista furioso, como Carnap ou Frege". Já a respeito de Charles Baudelaire, é ainda mais taxativo: o francês "também não é o que se pode apropriadamente denominar um porta-voz autorizado da luz divina [que, segundo Olavo, é o que Tolentino estaria propondo como contraponto à "luz conceitual" de Locke]. As experiências interiores a que teve acesso não foram produzidas por nenhuma ascese religiosa, mas pelo consumo de drogas. Elas não têm o significado universal e o valor das autênticas visões místicas, mas o de meras experiências pessoais, amplificadas por uma rara eloquência poética que só serve para torná-las ainda mais enganosas".

Como se não estivesse satisfeito, Olavo chama Baudelaire de um "asceta do mal" — e sua poesia,

> longe de nos trazer uma mensagem universal do Espírito, não expressa senão o protesto subjetivo da alma sensível esmagada pela feiura de um mundo dominado pelo comercialismo e pela técnica. Até aí, ela poderia constar como uma apologia do Espírito, ainda que melancólica e derrotista. Mas o que a distingue das demais poéticas do protesto subjetivo são dois traços inconfundíveis: primeiro, sua pretensão universalizante; segundo, sua contaminação proposital, deleitosa e perversa no mal que denuncia.

AS RUÍNAS CIRCULARES

Assim, segundo Olavo de Carvalho, sem o saber, Bruno Tolentino estaria "contaminado" por esse "método baudelairiano", cuja essência seria a soma da "repressão dos sentimentos" e da "exaltação imaginativa", na qual o seu "cerebralismo extremado", disfarçado de fantasia, seria uma espécie de "irmão gêmeo" da "luz conceitual" de John Locke, nascendo assim "uma versão esnobe e inquietante do 'mundo como ideia'". E arremata:

> [...] "O Espectro" vai muito além de uma valorização descabida do *esotérisme de Baudelaire* [uma referência que Olavo faz ao título do famoso livro de René Guénon, *L'ésotérisme de Dante* — *O esoterismo de Dante*]. Ela confere ao conhecimento obtido pelo método baudelairiano da fantasia exaltada uma autoridade comparável, se não superior, à das Sagradas Escrituras. O espectro falante, com efeito, exige de seu ouvinte a renúncia ao pensamento discursivo, a sujeição integral da alma à fantasia imaginativa. A Igreja nunca exigiu tanto: ela limitou-se a decretar a conformidade da razão com a fé, e a alertar, de outro lado, para os temíveis perigos a que o homem se expõe quando se deixa levar por uma fé não iluminada pela razão. O dogma católico, a rigor, admite no homem duas e somente duas fontes do conhecimento de Deus: a fé e a razão. Se há algo que não nos pode dar esse conhecimento de maneira alguma, é a "experiência", seja pessoal, seja coletiva. A experiência mística, mesmo autêntica, não tem autoridade e tem de ser validado pela sua conformidade aos preceitos da fé, conformidade esta que é julgada pela razão. O argumento aí subentendido é o de Aristóteles e Sto. Tomás: a experiência só nos dá o conhecimento do singular sensível, e *é a inteligência racional que introduz nela os critérios de universalidade, necessidade, possibilidade, contingência etc., sem os quais ela não tem um valor cognitivo senão muito rudimentar e tosco*. [grifos meus]

Sob esta perspectiva, "A máquina do mundo", de Drummond, seria o poema que dramatizaria, por meio de uma linguagem que discorreria sobre os Mistérios Menores ("correspondentes [no jargão esotérico] às ciências simbólicas da natureza: astrologia, matemáticas, alquimia etc."), tanto o fracasso na iniciação diante desses mesmos Mistérios quanto "a renúncia cognitiva que precede o ingresso nos Grandes Mistérios" (mais especificamente, a "visão de Deus").

Aqui, Olavo interpreta os versos sob a ótica da sua trajetória perenialista, a escola de pensamento que teve René Guénon e Frithjof Schuon como expoentes máximos, defensores de uma "unidade transcendente das religiões", e que fundamentou a maioria dos estudos do filósofo brasileiro em seus anos de aprendizagem. Se Drummond tinha um conhecimento mínimo deste tipo de linha de pensamento, Olavo não sabe, e dá a entender, logo em seguida, que a sua própria interpretação sobre "A máquina" — a de ser um "poema cristão de elevado valor místico" — pode ser apenas *mais* uma leitura, assim caindo na mesma incompreensão que expressara relativamente ao poema de Bruno Tolentino e ao ponto de vista tolentiniano acerca dos versos de Drummond.

Porém, há algo mais nesta discussão entre dois amigos extremamente inteligentes. Não se trata somente de descobrir se "O espectro" é um "rascunho gnóstico de um futuro grande poema épico católico" — o que indica que Olavo tinha plena noção de que o objeto analisado era parte de um tomo maior e que seria futuramente lançado com o título de *O mundo como Ideia*.

Na verdade, trata-se de um debate sobre o que seria a natureza desse mundo possesso pela "luz conceitual" e que seria uma espécie de denúncia constante na obra de Tolentino. Para sermos exatos, Olavo de Carvalho quer *controlar* a grande descoberta que o autor de *A imitação do amanhecer* fez para os outros, sempre em detrimento de si mesmo. Se não for isto, como então podemos interpretar a definição abaixo, na qual Olavo amarra a defesa do conceito como instrumento fundamental da inteligência racional e a sua própria definição do que deveria ser o tal do "mundo como ideia"?

> Pensar por conceitos é tão natural no homem quanto respirar ou sonhar; é um instrumento indispensável da nossa instalação no real, pelo menos tanto quanto a imaginação ou a percepção sensível, que sem o pensamento conceitual acabariam definhando até reduzir-se a uma passividade vegetal. Se o pensar por conceitos às vezes nos afasta da realidade e faz com que nos percamos na rede de nossas próprias invenções subjetivas, a mesma acusação se pode fazer com igual justiça à capacidade sensorial, aos sentimentos e à

imaginação, para não falar da fantasia baudelairiana. Não pode ser, portanto, contra o conceito como tal que se deve voltar a luta pelo predomínio do "mundo como tal" sobre o "mundo como ideia"; pois um mundo onde os homens pudessem conhecer o real e inserir-se nele sem conceitos, e amparados tão somente no método baudelairiano da autoexcitação imaginativa, é um mundo tão irreal quanto o mais exaltado delírio pitagórico. Combater o conceito em nome da fantasia baudelairiana é apenas trocar um mundo como ideia por outro mundo como ideia, mais enganoso ainda porque envolto na aura prestigiosa de um "conhecimento direto".

O que nos desvia do mundo como tal e nos aprisiona no palácio aritmético da ilusão não é o pensar conceitual, em si mesmo natural e são, mas sim a revolta platonizante contra a vida imediata, o matematismo desvairado que substitui os modelos às coisas, o abstratismo arrogante que prefere a perfeição de uma certeza lógica inventada à incerteza do mundo recebido — abstratismo que sem dúvida nasce menos da dinâmica interna da razão que de um impulso estetizante de dar ao pensamento a perfeição formal definitiva de um soneto ou de uma ode. Esse abstratismo é certamente incompatível com as concepções cristãs de um Deus pessoal, da Encarnação, da redenção etc. Mas não é incompatível com a poética de Baudelaire, que nasce do mesmo espírito de rebelião contra o mundo criado, do mesmo desejo de substituir, à imperfeita criação divina, a perfeição de um mundo inventado.

A conexão que Olavo faz entre o esoterismo imaginativo de Baudelaire e o empirismo de Locke se daria na dependência existencial do segundo em relação ao primeiro, quando "a concepção que faz da experiência subjetiva ampliada um substantivo da revelação divina" tem consequências históricas e intelectuais de grande alcance, "inclusive na ordem religiosa, onde a 'experiência pessoal', a 'intuição', a 'visão interior' etc. acabaram adquirindo, para a sensibilidade de uma grande parte dos intelectuais, uma autoridade bem superior à da fé iluminada pela razão. Baudelaire é, sob esse aspecto, um herdeiro e beneficiário do precedente lockiano. Se rejeitamos o empirismo de Locke, pouco sobra do método de Baudelaire".

Sem se considerar satisfeito, Olavo vai além no seu raciocínio, ao alegar que há uma subordinação ainda mais profunda das ideias de Locke em relação aos desvarios de Baudelaire, supondo o fato de que, "se a razão é um produto da experiência [segundo Locke], e se a experiência é sempre individual, circunscrita aos limites do corpo que a padece, então as categorias da razão resultam apenas da soma das experiências de muitos indivíduos. Elas não são universais e necessárias, mas apenas gerais — de uma generalidade quantitativa e estatística. Se é a experiência de muitos que sustenta a validade dos raciocínios lógicos, então o raciocínio lógico de um indivíduo sozinho não tem a mínima autoridade contra a opinião da maioria". Isso, portanto, leva Olavo a concluir que "a imaginação, para adquirir uma autoridade superior à da razão, precisa apenas amplificar-se até as dimensões do coletivo".

Foi exatamente o que levou Tolentino, segundo o filósofo, a "jogar Baudelaire contra Locke", o que seria a mesma coisa que "contrapor Satanás a Belzebu", terminando na "vitória completa e definitiva" do empirista inglês e no erro medonho (de acordo com Olavo) do poeta, o de se "voltar contra o pensamento conceitual a hostilidade que se devia dirigir somente contra a vontade perversa que transforma o conceito, a imagem, o sentimento e todos os outros instrumentos de cognição em instrumentos da mentira".

5.

Olavo teria razão neste malabarismo verbal (e lógico) se não fosse por um detalhe: nada disso tem a ver com o que Bruno Tolentino *realmente* pensava a respeito do "mundo como ideia". E há de se demonstrar tal fato em quatro pontos.

O primeiro é que, logo no início dos dez ensaios que servem como introdução ao volume finalmente publicado em 2001, com o título final de *O mundo como Ideia*, Tolentino deixa claro que não tem qualquer desprezo pelo uso do conceito como instrumento de reflexão. Aliás, afirma que não viveu "exatamente infenso às sereias da Ideia, longe disso", pois foi em nome desta última que, "século após séculos desde os fins da Idade Média, vem-se hipotecando a aventura cognoscitiva a um empirismo às avessas, espécie de remanso especulativo a substituir-se às perplexidades da condição mortal".

O uso da expressão "empirismo às avessas" não foi à toa; Tolentino já quer eliminar imediatamente qualquer referência a Locke na análise de seu pensamento. (Tampouco foi por acaso que, na versão definitiva do poema, substituiu o filósofo inglês por ninguém menos que Immanuel Kant, numa deferência à observação feita por Olavo, apesar deste jamais citar o anacoreta de Konigsberg em "O espectro da heresia".) Pois o "mundo como ideia" não é uma mera questão filosófica ou um outro problema formal e técnico. Trata-se de uma escolha moral — e *mortal* — em que "a vida do espírito" precisa fazer a opção dilacerante "entre duas posturas, só em aparência opostas: ou bem 'retira-se' da arena, desativando suas tensões com a abdicação de um *mea culpa* de sonâmbulo, tautológica e fatalista, ou bem 'abole' a intratável opacidade do real num movimento de ebriez altiva, de cegueira rebelde".

Esta última escolha seria a "grande tentação", o "refúgio por excelência (e há mesmo quem o diga inescapável) da inquietude ocidental", ao mesmo tempo que jamais se pode esquecer de que o "conceito *per se* (como da metáfora, de resto)" nada mais "é que um instrumento: nobre, ilustre, indispensável que seja", mas perigosíssimo uma vez que, com ele, não se pode "inverter a relação entre os meios e os fins". O conceito jamais pode ser "o substrato mesmo do conhecimento — em vez do contraponto formal que é à noite tumultuosa do sensível" — porque, se isso acontecer, haverá certamente a troca do "mundo-como-tal" pelo "mundo-como-ideia".

Portanto, o que Tolentino nos oferece não é uma discussão bizantina sobre fantasia, imaginação ou empirismo, mas uma diagnose que afeta a todos, sem exceção, inclusive o próprio poeta:

> Confrontada às tensões e aos paradoxos de que se nutre a rosa cognoscente, a vida do espírito tende a capitular ante as seduções do conceito, o qual, por sua vez, entorpece-a com fórmulas, métodos e dogmas que nada mais logram além de uma leitura pretensamente "segura", e ao cabo apenas redutiva, dos fundamentos do ser e das categorias do real.

Trata-se, na verdade, daquilo que chamava obsessivamente — talvez para esclarecer a quem não o compreendesse — de o "drama da razão", em que o conceito é apenas um dos polos de tensão cujo equilíbrio depende da aceitação do fato de que "não há lição de trevas nos reinos diuturnos do conceito, todos eles opostos ao 'império do real'". Neste drama, Tolentino busca também um ponto de apoio na dialética constante (e *excruciante*) do pecado e da Graça, uma dialética completamente diferente da simbólica, ao reconhecer que, no seu movimento,

> sem um *chiaroscuro*, sem as mediações da treva, as "coisas" não têm "sombra", e segue-se que nesse tipo de "registro" sem interesse intelectual ou anelo algum pelo que o ultrapasse tampouco há de haver lição digna de modelagem do nome; nenhuma, em todo caso, que não tenda ao que chamo a marmorização moral do ser — para o homem conceitual a única admissível resposta às inquietações da mente ante o fugaz, o precário, o elusivo.

É interessante observar que Olavo de Carvalho jamais cita a expressão "drama da razão" no texto dedicado à obra do amigo — e isto nos faz crer que o filósofo analisou apenas uma parte das intenções poéticas e estéticas de Tolentino, esquecendo-se de outras que, certamente, mostrariam que seu raciocínio sobre aqueles "versos satânicos" não era assim tão completo.

E eis aqui o segundo motivo pelo qual sua análise é equivocada: Olavo parece ter se esquecido de que o próprio Tolentino deu uma resposta à experiência dramatizada em "O Espectro" com um outro poema, igualmente complementar, e que fecha o Livro Primeiro de *O mundo como Ideia*.

Estamos falando, aqui, de "Lição de modelagem", cuja cena memorável do eu-lírico que conversa interiormente com uma visão de Santo Irineu de Lião (o autor deste monumento patrístico chamado *Contra os hereges*) é a contraposição perfeita ao "satanismo" decifrado por Olavo no encontro do poeta com o espectro de Baudelaire. A definição de uma "lição de modelagem", surgida no final da década de 1980 em poemas escritos na língua inglesa, como "A sermon upon the clay", é muito cara à obra tolentiniana — e, portanto, nada tem a ver com as sugestões que Olavo poderia fazer como consequências da discussão filosófica iniciada em "O espectro da heresia".

Esta lição seria algo que está "além de um exercício formal de cunho e natureza quando muito simbólicos", uma

> *operação da inteligência* que tem cura, antes de tudo, da intratável e aparentemente informe rugosidade do real, e que ao buscar formar-se uma qualquer imagem dele só se legitima *ao equilibrar-lhe as tensões e os paradoxos de modo a efetivamente tocar aquele nervo vital, aquela carnatura viva da linguagem em que significado e significante resultam indissociáveis — portanto significativos*. É evidente que o espírito do conceito nada sabe e nada quer saber desse equilíbrio, desse exercício sobretudo moral. [grifos meus]

Contrapondo o resultado final de *O mundo como Ideia* à sua análise provisória a respeito de um *único* poema do tomo, percebe-se que Olavo não preservou esse "equilíbrio" na sua interpretação de "O espectro". Se tivesse feito posteriormente o paralelo entre a alucinação com Baudelaire e a visão com Santo Irineu, notaria que o importante para Tolentino nunca foi o uso adequado do conceito como instrumento cognoscente, e sim como

> quanto à soma intranquila,
> de tudo o que sobrar
> do que não conseguimos
> nunca aperfeiçoar
> (não por falta de estímulo,
> mas por desconfiar
> da perene ambição
> de sermos nós os nossos
> melhores arquitetos),
> *tudo aquilo não passa*
> *de indiferença à graça,*
> *na pompa e na soberba*
> *dos sonhos do intelecto*
> *que se presume autônomo* [...].
>
> ["Lição de modelagem", grifos meus].

Chegamos, portanto, à terceira razão pela qual Olavo se mostra equivocado: apesar de ter um repertório literário e filosófico invejável, com referências à *philosophia perennis*, Drummond, Baudelaire, Locke etc., ele simplesmente se esqueceu (ou não sabia mesmo) de que o poema "O espectro" é também uma releitura do famoso episódio que T.S. Eliot descreve na quarta e última parte dos seus *Quatro quartetos*, intitulada "Little Gidding", na qual o eu-lírico tem uma visão com Dante Alighieri.

Não se trata de uma mera elucubração. Tolentino era extremamente autoconsciente em suas citações — e, intuindo que ninguém repararia neste pequeno detalhe, fez questão de ressaltá-lo por meio da dedicatória dirigida a Ivan Junqueira (tradutor nacional tanto de Eliot quanto de Baudelaire). O cenário é assustadoramente semelhante em ambos os poemas: Eliot e Tolentino estão em Londres; só que o primeiro é testemunha de uma cidade em ruínas, arrasada pelos bombardeios da Segunda Guerra Mundial, enquanto o segundo está imerso nos "arabescos da mente" à beira do Tâmisa.

O contraste não podia ser mais gritante — e, por isso mesmo, evidente. O que temos aqui é um poeta conversando secretamente com outro, e ambos os vates cruzando referências com suas maiores influências, sejam positivas ou negativas. No caso de Eliot, é o visionário de *A divina comédia*, antecipado por uma "pomba escura" (*dark dove*), o oposto do pássaro que simboliza o Espírito Santo, e que incita o anglo-americano a fazer uma releitura de toda a sua carreira literária. No de Tolentino, a pomba escura é o próprio espectro da poesia metaforizado na presença aterrorizante de Charles Baudelaire, avisando o colega brasileiro de que, ao buscar "o todo parte a parte", querendo

> as perfeições da geometria
> e ao fim do sonho circular da arte,
>
> entregas tudo à fantasmagoria,
> aos jogos malabares da ilusão.

E temos aqui o quarto, mas não menos importante, motivo da interpretação de Olavo não corresponder à realidade. O que ele não entendeu é que "O espectro" não é um jogo filosófico sobre o "discernimento dos espíritos". Faz o que toda a grande poesia (e toda a grande arte) se propõe: dramatizar uma experiência extrema da condição humana — que, neste caso, é o confronto com as raízes obscuras do conceito, resultando assim naquele esteticismo moral que prejudicou não só a biografia de Baudelaire ou de Drummond, mas também a de filósofos como Nietzsche e Heidegger. É um poema que retrata, com muita ambição e muito sucesso, o mesmo evento descrito por Eliot no seu encontro com Dante em "Little Gidding": a presença da "pomba escura" em sujeitos que deveriam viver a sua plena vocação filosófica e poética, como se fossem iluminados pelo Espírito Santo.

O único antídoto para suportar e vencer essa presença negativa, próxima ao "não ser", é se preparar para a execução de uma "lição de modelagem", sem cair nas armadilhas de quem fica indiferente aos chamados cifrados da Graça. Infelizmente, Olavo não notou nada disso ao interpretar os versos do amigo. Preferiu se refugiar em uma visão formalista do poema (não marxista, por certo, mas sobretudo perenialista, se admitirmos as críticas que Hans Urs Von Balthazar faz a esta escola de pensamento) e praticar uma leitura semelhante à que Charles Kinbote, o excêntrico personagem do romance *Fogo pálido* (1962), de Vladimir Nabokov, fez dos enigmáticos cantos que o poeta John Shade criara.

No livro escrito por Nabokov, Kinbote prefere deixar de lado a intensa meditação sobre a morte, a imortalidade e o sofrimento encontrados nos versos do poeta prematuramente falecido para criar delírios a respeito de um país, Zembra, provavelmente irreal, naquela crença tola de que "é o comentador que tem a última palavra" em relação ao poema. No fundo, Olavo se comportou como o "purovisibilista" — expressão que Bruno Tolentino tomou emprestada de José Guilherme Merquior e que define algo que ele temia: quando alguém, comentando sobre a arte em geral, não sabia "escutar sob o alarido das formas, em contato ou em luta, o murmúrio às vezes esquivo e subterrâneo de suas motivações culturais" porque era imune a "esse ouvido crítico" que sentia "o pulso e a problemática da cultura", os quais "fazem aquelas confidências que nos permitem decifrar a opulenta mensagem do tesouro das obras de arte".

Por que o filósofo brasileiro, o mesmo que escrevera as belas páginas de "Poesia e filosofia", refugiou-se neste engano? Não se trata de um problema de falta de inteligência — e muito menos de falta de sensibilidade. Ele é muito astucioso para escapar desses obstáculos cognitivos. Só nos resta uma opção, que devemos explorar a fundo se quisermos localizar a raiz deste mal: a de que, ao encontrar uma obra como a de Bruno Tolentino, a inteligência de Olavo de Carvalho não teve alternativa senão admitir, no diálogo interior com o seu "ser", que "há múmias que uma vez desembrulhadas/ têm escrito na cara o nosso nome".

6.

Uma coisa, porém, é fazer a leitura equivocada do poema de um amigo, em um ambiente particular. Outra é cometer o mesmo ao analisar a conjuntura política e cultural de um país, uma vez que, neste caso, as consequências são muito maiores, além de serem perigosamente imprevisíveis. Mas, como estamos tratando da obra de um filósofo que preza, antes de tudo, pela *unidade* de seu pensamento — e pela ação que confirma o seu *filosofema* —, chegou a hora de percebermos que esses dois tipos de eventos estão intimamente conectados.

Pois o fato é que, de 1995 em diante, Olavo de Carvalho insistiria nas suas interpretações à la Charles Kinbote — em especial quando examinou, em um famoso ensaio publicado em O imbecil coletivo, o livro A revolta das elites e a traição da democracia, escrito pelo norte-americano Christopher Lasch e publicado em 1996, logo após a morte do autor, ocorrida em 1994.

Como um bom professor, Olavo inicia o texto explicando perfeitamente qual é o conceito, o de "a revolta das elites", que Lasch desenvolve a partir da "rebelião das massas", termo criado pelo filósofo espanhol José Ortega y Gasset:

> Há uma nova elite dominante no mundo, distinta da burguesia; ela não governa pela posse dos meios de produção, mas pelo domínio da

informação; mais ambiciosa que sua antecessora, não se contenta em ter poder sobre a riqueza material e a força do trabalho das pessoas, mas quer moldar a sua mente, seus valores, sua via e o sentido da sua vida; não quer só possuir o mundo, mas reinventá-lo à sua imagem e semelhança, doa a quem doer (ela chama a isso "engenharia social" [...]). [...] A nova classe não precisa de intermediários, ela mesma inventa o seu discurso e não corre o perigo de ser traída pelas vacilações de intelectuais de aluguel — pois ela é composta de intelectuais. Estamos em plena tirania da *intelligentsia*.

Essa "nova aristocracia do espírito" foi profetizada por James Burnham em seu *The Managerial Revolution*, de 1941, mas foi Lasch quem deu o acabamento final e enfim a formalização numa espécie de princípio político. Se Ortega acreditava que o "homem-massa", que alimentou o totalitarismo nazista e comunista no século XX, era o comportamento padrão no mundo social, com seu jeito de "senhorzinho satisfeito", de temperamento mimado, e que cumpria às elites darem o exemplo de ação e de pensamentos corretos para esse tipo de gente, Lasch inverte as expectativas (e o conceito) e passa a afirmar que o novo "homem-massa" é ninguém menos que o intelectual, o sujeito que, encastelado em uma torre de marfim ou em seu gabinete, imagina alterar a estrutura da realidade, graças à força de suas ideias ou de sua técnica impecável, repleta de números e gráficos.

Este tipo de doença do espírito se chama *pleonexia* e é extremamente comum em pessoas com um alto poder cognitivo. A consequência prática é que, conforme a descrição precisa de Lasch, "as classes pensantes [ou 'analistas simbólicos'] vivem em um mundo de abstrações e imagens, um mundo simulado, constituído de modelos computadorizados da realidade — a hiper-realidade, como tem sido chamada —, distinto da realidade palpável, imediata e física habitada por homens e mulheres comuns". Sem saber, o americano teve a mesma intuição de Bruno Tolentino a respeito do "mundo como ideia". O que importa para o intelectual analisado por Lasch — dominado então pelo discurso do marxismo e do politicamente correto — é a "construção social da realidade", na qual "reflete a experiência de viver em um ambiente artificial, de onde foi excluído tudo aquilo que resista ao controle humano".

Olavo reconhece a "importância e o valor" da empreitada de Lasch, mas faz o mesmo que no ensaio "O espectro da heresia" — ou seja, insiste numa ressalva que, ironicamente, mostra toda a sua admiração pelo autor criticado. Assim, não hesita em afirmar, peremptoriamente, que "Lasch — como quase toda intelectualidade fora da Espanha, excetuando-se uns poucos estudiosos de assuntos hispânicos como Ernst Robert Curtius — leu Ortega y Gasset muito mal". E continua, no mesmo tom:

> [Lasch] compreendeu-o tão somente por *La Rebelión de las Masas* — uma coletânea de artigos sem sentido completo em si mesma, como avisara repetidamente (e inutilmente) o próprio autor. Nem sequer folheou o restante das obras do filósofo, onde se encontram os antecedentes e a continuação do seu argumento. Ali poderia descobrir, por exemplo, que a distinção que Ortega y Gasset faz entre elite e massas não tem sentido socioeconômico, mas apenas psicológico e ético, inspirada, como é, na doutrina hindu das castas e do *dharma*, que os termos da sociologia ocidental não traduzem: há "homens da elite" entre os proletários e "homens-massa" na classe dominante. Poderia descobrir, pior ainda, que por "massas" Ortega y Gasset entendia designar especificamente — como se lê com todas as letras em *España Invertebrada*, de 1923 — "las masas com mayor poderio: las de la clase media y superior", principalmente as massas de estudantes que lotavam as universidades, isto é, os futuros gerentes [...] da análise de Lasch. Em *Misión de la Universidad*, um texto quase contemporâneo da *Rebelíon*, Ortega y Gasset deixava muito claro que o *nuevo barbaro* a quem chamava homem-massa era "principalmente el professional más sábio que nunca, pero más inculto tambíen: el ingeniero, el médico, el abogado, el científico". Sua análise é de 1928. Permaneceu desconhecida do mundo, soterrada sob a falsa conotação atribuída quase que universalmente ao seu termo "massas", a ponto de haver desde então duas imagens do autor: um Ortega y Gasset de centro-esquerda, na Espanha que o leu; um de extrema-direita, ao resto do mundo, que leu seus intérpretes. Ao mundo não hispânico, as análises de Lasch parecerão coisa inédita.

Apesar da clareza da exposição, Olavo pretende ser aqui "mais realista do que o rei", com suas analogias crípticas ao pensamento perenialista e seu indiscutível conhecimento da obra de Ortega y Gasset, mas se esquece de que Lasch apenas se apropria da expressão do filósofo espanhol para praticar uma "inversão retórica" e então depois desenvolver a sua tese. Nada errado nisso. Contudo, Olavo desautoriza a importância do livro de Lasch — e diminui o impacto de suas reflexões para o leitor interessado em saber mais sobre ele. E, com isso, o brasileiro abusa do *tu quoque* [recurso retórico do "tu também"] para sedimentar a sua impressão de que "a decadência intelectual norte-americana foi muito mais funda que [Lasch] imaginava", uma vez que "chegou a contaminar seu próprio crítico mais lúcido":

> Se não fosse assim, ele não dedicaria tantas páginas ao exame meticuloso de ideólogos de segundo time, de importância meramente local, ao mesmo tempo que se omitia de lançar um olhar mais atento ao filósofo mesmo em que seu livro se inspira como ostensivo *pendant* pós-moderno de *La Rebelión de las Masas*. Nem sacrificaria aos ídolos que desmascara, ao acrescentar metodicamente à palavra homens, quando empregada com o sentido de *humanidade*, a ressalva cautelosa: "e mulheres". Nem sugeriria, como remédio ao mal que diagnostica, um retorno à tradição do pragmatismo deweyano — uma tradição que, depreciando a noção de "verdade objetiva" em prol do mero consenso útil, muito fez para debilitar a mente norte-americana e gerar o atual estado das coisas. Por essas fraquezas, e sobretudo pela tendência incoercível de atribuir provincianamente a tudo o que se passa nos Estados Unidos uma significação universal, a obra de Lasch é ela mesma, até certo ponto, um sintoma da situação que descreve.

Novamente, Olavo não quer ser apenas "mais realista do que o rei". Ele faz exatamente aquilo que Robert Musil descreveu como a "agitação dissoluta da vida intelectual", a qual "se move em todas as direções e pode vestir todas as roupas da verdade", sem que o pensador imagine que esta última, "ao contrário, tem apenas uma roupa em qualquer ocasião, um só caminho, e sempre está em desvantagem". E isto pode ser afirmado por um único motivo: tudo leva a crer que Olavo de Carvalho simplesmente não leu o livro de Lasch, exceto a introdução e o primeiro capítulo — o mesmo que fizera ao interpretar o poema de Tolentino e substituir o todo por apenas uma parte.

7.

Os equívocos de Olavo sobre a obra de Lasch são dois: o primeiro é que o autor americano, na verdade, amplia a noção da crítica a respeito do "homem-massa" de Ortega, inserindo-a numa tradição que se opõe à "tirania da *intelligentsia*", aproximadamente caracterizada como "populista-conservadora", e que tem sua perfeita articulação nas reflexões do filósofo britânico Michael Oakeshott; e o segundo é que Olavo não tem (ou não *quer* ter) a sensibilidade de perceber que se trata do testamento derradeiro de um homem, antes do sopro da morte o arrebatar completamente.

Em relação ao primeiro equívoco, Oakeshott escreveu um ensaio chamado "As massas em uma democracia representativa". Nele, parte do seguinte raciocínio, inspirado justamente no conceito de "massa" de Ortega y Gasset: o de que o advento deste ente chamado "homem-massa" seria visto como o "surgimento mais significativo e abrangente dentro das revoluções da era moderna", responsável "por ter transformado a maneira como vivemos, nossos padrões de conduta e a forma como fazemos política".

Além do que já sabemos sobre este conceito — segundo as explicações de Olavo e de Lasch —, deve-se complementar que o fenômeno do "homem-massa" é próprio a alguém que não aceita, sob nenhuma forma, que a condição humana seja um constante *naufrágio*, e que a primeira vítima possa ser ele mesmo. É alguém, por outro lado, que aceita, sem reclamações, que a vida tenha *crescido* — com sua estabilidade econômica, números polpudos, prosperidade merecida —, mas que se recusa saber *como* tal ocorreu. E nisso trilha, com contentamento, a sua pequena existência, sem saber que existem outras pessoas que podem se diferenciar da aglomeração. Quando isso se dá, logo a massa trata de agir, por meio de formas irracionais e vulgares, e ordena a sua visão sobre as coisas, que se aproxima de um *totalitarismo* alucinante, insistindo na característica do momento de que é "a alma vulgar, sabendo que é vulgar, [que] tem a coragem de afirmar o direito da vulgaridade e o impõe em toda parte".

Porém, Oakeshott acredita que ver o mundo moderno por esse prisma não passa de um "exagero grotesco". Assim, para consertar o que o filósofo espanhol dissera, decide realizar uma "empreitada de descrição histórica" — na verdade, uma "longa história" que começa não na "Revolução Francesa (como querem alguns)", ou com "as mudanças industriais do fim do século XVIII, e sim em meados dos séculos XIV e XV, nos períodos chamados 'Humanismo' e 'Renascimento', em que o que conhecemos hoje como 'individualidade humana'" passou por "uma modificação das condições medievais de vida e pensamento".

Antes, o sujeito era reconhecido entre os outros por ser o "membro de uma família, de um grupo, de uma corporação, de uma igreja, de uma comunidade, de um vilarejo, de promotor de uma comarca ou de ocupante de um posto alfandegário", e isto era, até então,

> para uma grande maioria, a soma circunstancialmente possível de autoconhecimento. E isso não se restringia ao "ganha-pão", também englobava decisões, direitos e responsabilidades gerais. Relacionamentos e alinhamentos normalmente se originavam do status e coincidiam em seu caráter com as relações de parentesco. A maior parte das pessoas era anônima, ninguém se importava com o caráter individual. O que diferenciava um homem de outro era insignificante quando se comparava com os privilégios de fazer parte de um clube de qualquer espécie.

A partir do Renascimento, o eixo de percepção de como o ser humano via a si mesmo passou a mudar lentamente. Oakeshott se baseia em Jacob Burckhardt para afirmar que, do século XIII em diante, especialmente na Itália, percebe-se algo novo — uma "onda de individualidade", ou, para ser mais preciso, a chegada do *Uomo Singulare*, o homem singular, insubstituível. A conduta deste novo sujeito

> era marcada por um alto teor de autodeterminação e cujas atividades expressavam preferências pessoais de comportamento, gradualmente se

desgarrando de seus companheiros. E junto com ele aparecia, não somente o *libertine* e o *dilletante*, como também o *uomo unico*, o homem que, ao dominar seu destino, ficara sozinho e se tornara uma lei para ele mesmo. Homens examinavam suas condições e não se chocavam por suas necessidades de perfeição. [...] Uma nova imagem humana aparecera — e não a de Adão ou a de Prometeu, mas a de Proteu — um personagem distinto de todos os outros devido a sua multiplicidade e infinita capacidade de transformação.

Logo, ser um indivíduo se tornou "o evento mais destacável da história da Europa moderna" e, como aconteceria com o passar de quatro séculos, uma forma ideal de governo também surgiria, adequando-se a essas "intenções de explorar as intimações de individualidade" e construindo uma base legal que começava com uma exigência muito ardilosa em sua simplicidade: a de que esses "interesses individuais" deviam se transformar em direitos e deveres.

Depois que tal governo foi estabelecido dessa forma, pediram-lhe mais três coisas:

> primeiro, ele deveria ser único e supremo; somente pela concentração de toda a autoridade em um centro único o indivíduo emergente poderia escapar das pressões comunais da família e das guildas, das igrejas e da comunidade local; tudo o que o impedia de desfrutar plenamente de seu caráter. Segundo, ele deveria ser um instrumento de governo desvinculado de prescrições e consequentemente com autoridade para abolir velhas leis e criar novas: deve ser um governo "soberano". E isso, de acordo com ideias de então, significa um governo em que todos que gozavam de direitos eram parceiros, um governo em que as "peças" do tabuleiro eram participantes diretos ou indiretos. Terceiro, deveria ser poderoso — capaz de preservar a ordem sem a qual a aspiração da individualidade não seria possível; porém nem tão forte assim que constituísse um perigo para a própria individualidade.

Contudo, essa evolução não ocorreu sob a paz desejada. Esse tipo de transformação, mesmo que gradual, jamais eliminou o problema comum a qualquer ser humano, mesmo que seja um *Uomo Singulare* — a capacidade de fazer suas próprias escolhas. Na verdade, isto passou a ser um fardo. Para complicar, Oakeshott descreve que

> as velhas certezas em relação às crenças, às profissões e ao *status* estavam sendo dissolvidas, não somente para aqueles que estavam confiantes de seu próprio poder de erigir um novo lugar para si em uma associação de indivíduos, mas também para aqueles de temperamento mais pessimista. A contrapartida para o empreendedor, seja da cidade ou do campo, do século XVI, eram os trabalhadores desalojados; a contrapartida do *libertine* era o crente desiludido. As familiares pressões comunais eivadas de carinho foram dissolvidas em um mar de outras tensões — a emancipação que excitava alguns, deprimia outros. O anonimato familiar da vida comunal fora substituído pela identidade pessoal, a qual para alguns se tornara um fardo, uma vez que não logravam transformá-la em individualidade. O que uns viam como felicidade parecia a outros mais um desconforto. As mesmas condições de circunstância humana eram identificadas como progresso e como decadência. Em poucas palavras, a condição da Europa moderna, mesmo antes do século XVI, dera origem não somente a um personagem, mas a duas figuras antagônicas: além do indivíduo, agora temos também o "indivíduo *manqué*". E esse "indivíduo *manqué*" não era uma relíquia das eras antigas, e sim um produto da modernidade, o resíduo da mesma dissolução dos laços comunais que haviam dado à luz o indivíduo europeu moderno.

O indivíduo *manqué*, na definição de Oakeshott, era "uma combinação de debilidade, ignorância, timidez, pobreza ou azar" que mostra uma absoluta incapacidade de se adaptar a qualquer ambiente hostil. Sua única solução para resolver esse impasse existencial foi a de procurar um "protetor que entendesse sua situação" — e que se tornaria o Estado, o qual jamais hesitou em atender às necessidades do "indivíduo *manqué*".

No entanto, com essa aprovação absoluta da busca da individualidade como a única alternativa restante à consciência moderna, o "peso dessa vitória moral despencou na cabeça do indivíduo *manqué*", que, a partir de então, além de se ver "derrotado em casa, em seu próprio caráter", acentuando ainda mais as dúvidas sobre "suas habilidades de aguentar a pressão na luta pela sobrevivência", aponta para "uma radical falta de confiança em si mesmo", na qual "o que era o desconforto de um fracasso se transformara na miséria da culpa".

Assim, o "indivíduo *manqué*" passa a ter uma nova metamorfose — ora à resignação, ora à inveja e ao ressentimento, além de insistir no impulso de fugir dessa cruel situação, impondo esta última ao resto da humanidade. É aqui que vemos a passagem do "indivíduo *manqué*" para o "anti-indivíduo", um ser totalmente dominado por seus sentimentos, em vez de por pensamentos; alguém disposto a assimilar tal definição sem se preocupar com a desintegração de seu próprio caráter, ao destronar o indivíduo que lhe deu origem e ao eliminar qualquer rastro de seu prestígio moral.

A partir desse momento, nada pode frear esse "anti-indivíduo", pois, além de reconhecer em si mesmo que "sua individualidade era tão pobre que nada seria o bastante para salvá-la", ele também sabe que a única coisa que o movia "era unicamente a oportunidade de escapar da ansiedade de ter que ser um indivíduo, além da chance de extirpar do mundo tudo o que o convencia de sua falta de aptidão para tal. Sua situação o levou a buscar conforto em comunidades isoladas, insuladas das pressões morais da individualidade. Porém, a oportunidade que ele tanto procurava apareceu de verdade quando reconheceu que, ao invés de estar sozinho no mundo, ele pertencia à classe mais populosa da sociedade moderna na Europa, *a classe que não tinha suas próprias escolhas a ser feitas*" — o "anti-indivíduo" que enfim se torna uma única substância com a "massa" diagnosticada por Ortega y Gasset, aquele que "não pode ter amigos (porque amizade consiste na relação entre dois indivíduos), só camaradas", pois ele obriga os outros a serem acolhidos somente se forem "uma réplica dele, impondo a todos *uma uniformidade de crença e conduta que não deixa espaço nem para os prazeres nem para as angústias da escolha*" [grifos meus].

Lasch se insere nesta linha de pensamento quando descobre o conceito de sua "revolta das elites". Para ele, o intelectual, ao se descolar da realidade por meio de sua *pleonexia*, tornou-se uma espécie de "anti-indivíduo" que, unido aos seus semelhantes, destruiu o tecido social e provocou o que chama de "a traição da democracia". Com isso, a única solução que lhe restou foi trocar o que era uma "comunidade" orgânica e verdadeira por um simulacro dela — e isso, na época de Lasch, aconteceu com a academia, tomada de assalto pelo pensamento de esquerda, tanto quanto hoje ocorre nas redes sociais, com suas histéricas caixas de comentários, independentemente dos espectros ideológicos.

É justamente por isso que Lasch propõe o populismo como uma forma de prática política que se opõe à "tirania dos especialistas", a qual pretende controlar todas as instâncias do saber, como as universidades, a imprensa, a cultura e as instituições governamentais. Trata-se de uma mentalidade totalitária, personificada por intelectuais que não se importam mais em libertar o ser humano por meio do aperfeiçoamento da luta interior, a mesma em que Behemot e Leviatã se confrontam nos subterrâneos da nossa alma. Eles desejam apenas usar a inteligência de cada um para a construção de um projeto de poder que domine e — mais — *altere* a natureza humana. Neste sentido, segundo Lasch, o populismo

> é claramente preocupado com o princípio do respeito. [...] Ele defende os costumes simples e o discurso simples e direto. Não fica impressionado por títulos e outros símbolos de elevada posição social, e não fica igualmente impressionado por alegações de superioridade moral feitas sob o nome dos oprimidos. Rejeita a "opção preferencial pelos pobres", se isto significa tratá-los como vítimas indefesas das circunstâncias, absolvendo-os da responsabilidade ou desculpando-os de seus delitos na base de que a pobreza traz a presunção de inocência. *O populismo é a voz autêntica da democracia.* Afirma que os indivíduos detêm respeito por si mesmos até que provem que não possuem esse direito, mas também insiste que eles devem assumir a responsabilidade pelo que fazem. Reluta ao fazer alianças ou ter juízos fundamentados na ideia de que "a sociedade é culpada". O populismo é "discriminatório", para chamar um adjetivo comum no uso pejorativo de um termo que mostra a nossa capacidade de discriminar juízos enfraquecidos pelo clima moral da "preocupação" humanitária. [grifos meus]

Entretanto, esse sentimento de recuperação da responsabilidade política só pode surgir mediante uma terrível — e inusitada — perspectiva da mortalidade. Pois foi isso que aconteceu com Lasch. Apesar de uma visão marxista, que ainda sobrevive nas primeiras páginas de *A revolta das elites*, logo depois abandonada, e da predominância de um pragmatismo à la John Dewey junto com uma concessão à *langue de bois* do politicamente correto, ao falar da "humanidade" em abstrato (pontos muito bem identificados pelo autor de *O imbecil coletivo*), ainda assim a tese do sociólogo americano não pode ser desprezada por completo nem utilizada como se fosse uma exceção que confirmaria a regra — no caso, a hegemonia de uma elite de esquerda que escravizou a consciência do povo brasileiro.

O argumento da hegemonia cultural esquerdista é um fato indiscutível — e não há como refutá-lo. Então, por que Olavo joga para baixo do tapete o argumento de Lasch, esquecendo-se deliberadamente de que, entre outros exemplos, *A revolta*, no seu terço final, consiste numa das mais comoventes reflexões sobre a finitude, algo que compensa quaisquer outras falhas, com direito a ensaios brilhantes sobre a "abolição da vergonha" em um mundo destituído de transcendência, a invasão do corporativismo na educação universitária e, *last but not least*, a obra de Philip Rieff (um gigante que jamais foi um "ideólogo de segundo time" e que, aliás, seria citado no futuro pelo próprio Olavo no artigo "O Ocidente islamizado", escrito em 2007)?

Há a hipótese de que ler o testamento de um homem que está à beira da morte seja sempre perturbador — mas isso jamais foi um problema para Olavo que, como bom filósofo, sabe que o método de sua vocação sempre teve como meta o encontro com a indesejada das gentes. Com isso, resta outra hipótese, menos perturbadora, é certo, mas igualmente inquietante: a de que o princípio político desvelado por Christopher Lasch iria contra a teoria de Olavo de Carvalho sobre o que significa o poder.

8.

Na acepção de Olavo, em sua apostila "Ser e poder" (1997-99), só existem três poderes neste mundo:

> produzir, destruir, conduzir. O primeiro é o poder *econômico*, o segundo o poder *militar*, o terceiro o poder *espiritual*. Roma consagrou-os, respectivamente, a Quirinus, Marte e Júpiter. Os três deuses defendem o homem

contra as três ameaças fundamentais: a fome, a violência, o erro. O bem da sociedade depende inteiramente de que haja equilíbrio no culto que se consagra a essas divindades. O triângulo do poder tem de ser equilátero.

Cada poder tem um sujeito que o exerce e um objeto que é atingido por esta ação. "O objeto do poder econômico", escreve Olavo, "são os bens de natureza material. O do poder militar, o corpo humano e suas ações. O do poder espiritual, as ideias, crenças e sentimentos."

Já os sujeitos do poder se comportam ora numa modalidade ativa, ora numa modalidade passiva, "ou vertical ou horizontal", e seus respectivos representantes seriam, no caso do poder econômico, os "capitalistas e trabalhadores"; no militar, o exército e a justiça ("a nobreza de espada e a nobreza de toga"); e no espiritual, a igreja, composta de "cultura e tradição", sendo que a "primeira é ativa e vertical, porque busca criar novas crenças e submeter toda a sociedade às opiniões dos indivíduos criadores. A tradição é passiva e horizontal, porque busca estabilizar as crenças num sistema fixo nivelado pelos valores consagrados".

Apesar da ordem da argumentação de Olavo apresentar esses níveis de poder como se fossem aparentemente hierárquicos — em primeiro lugar, o econômico, depois o militar, e, por último, o espiritual —, na verdade o seu raciocínio só tem coerência se entendermos que, na ordem do ser (a única realmente importante para um filósofo), é o poder do espírito que se sobrepõe a todos os outros.

Segundo essa perspectiva, as ideias teriam um poder ativo, que reside nos "criadores de bens culturais", com a tendência de concentrá-lo, "a submeter as ações de muitos às ideias de uns poucos, a acelerar a mudança e a romper os hábitos estabelecidos". Já no polo passivo, temos os homens de religião, que dispersam o poder, nivelam "o comportamento humano pela média dos valores tradicionais, a anular as diferenças entre homens notáveis e homens comuns, a estabilizar a ação social na rotina sacralizada".

Em termos práticos, o poder só pode ser dividido (e formalizado) por meio de *castas*. De acordo com Olavo, "a casta sacerdotal divide-se em intelectualidade e clero; a casta nobre divide-se em nobreza de espada e nobreza de toga; a casta dos produtores divide-se em proprietários e trabalhadores". Reparem que, de repente, inverte a ordem de apresentação porque, aqui, o importante não é a classificação do sujeito e do objeto do poder, mas a efetividade deles nas castas. Uma não existe sem a outra, é claro, mas a casta é o que dá "funcionalidade" ao poder porque seu fascínio, por assim dizer, é não ter necessariamente "ocupantes fixos": "os componentes da nobreza, destronados, podem compor uma casta capitalista ou uma intelectualidade. O trabalhador, em ascensão, pode ingressar na intelectualidade ou na nobreza. Massas inteiras podem ser deslocadas de uma função a outra. As funções permanecem fixas, os ocupantes ou permanecem ou mudam."

De fato, Olavo permanece fiel ao seu princípio de sempre definir "o que é" (*quid*) alguma coisa. E *o que é* o poder, de acordo com a sua visão? Seria um conceito *nuclear* de uma "possibilidade de ação", no sentido mais universal, e seria também "a possibilidade de determinar as ações alheias", no sentido estrito da política. Mas, para ocorrer essa determinação de uma ação alheia, é fundamental que o sujeito tenha a capacidade de alterar não só as ideias de alguém, mas, sobretudo, os desejos desta mesma pessoa. Ora, não é por acaso que ele próprio define que "as ideologias são expressões dos desejos das várias castas" e, para dar um exemplo concreto deste tipo de metamorfose, cita os acontecimentos de duas revoluções — a Russa e a da "revolta das elites", que já tinha sido diagnosticada por Christopher Lasch:

> Na Revolução Russa de 1917, a intelectualidade, apoiada nos trabalhadores e na milícia, toma o poder, assumindo instantaneamente as funções de nobreza e de clero. A nova nobreza, uma vez constituída, absorve as funções da casta capitalista, o que pôde fazer com facilidade porque já estavam parcialmente absorvidos pela nobreza do antigo regime, num capitalismo de Estado. O marxismo surge como obra de cultura, mas, quando a intelectualidade que o criou sobe ao poder e se transforma em clero, ele adquire a forma de religião.
>
> Nos Estados Unidos, uma poderosa classe capitalista governa com o apoio do clero protestante, subjuga a nobreza, os trabalhadores e a intelectualidade. A intelectualidade e os trabalhadores, com o auxílio da nobreza de toga, contestam o poder. A intelectualidade, porém, conquista

gradativamente o poder graças à inventividade técnica e ao domínio das informações, à medida que o capitalismo industrial cede lugar a um capitalismo de bens e serviços. Com a engenharia social, o poder centraliza-se, a eficiência do comando é aumentada, o Estado tende na direção social-democrata. Os capitalistas, sentindo-se alijados do poder, aliam-se aos trabalhadores e à milícia numa reação conservadora, dividindo a nobreza de toga.

Apesar de ter desprezado a tese de Lasch, Olavo não hesita em usá-la — além de querer acentuar o fato de que a maioria desses eventos históricos foi inicialmente alterada por desejos de uma casta sacerdotal. Contudo, há uma apropriação de controle deste raciocínio — semelhante ao que empreendera sobre o conceito de "mundo como ideia", concebido anteriormente por Bruno Tolentino —, além de uma curiosa inversão, perceptível somente nas entrelinhas. Se, em Lasch, a "revolta das elites" provocava a "traição da democracia" porque os seus integrantes eram os anti-indivíduos que se descolaram da realidade concreta, para Olavo é justamente a casta do espírito que fará essa restauração, sempre por meio da existência de alguém dotado de um "poder carismático":

> [Este tipo de poder] não reside nos dons pessoais de um homem, mas no que os outros homens *imaginam* a respeito dele. O talento não reconhecido é um dom real, mas não um poder carismático. Para o exercício do poder carismático, pouco importa que os supostos dons daquele que exerce o poder sejam reais ou fictícios: se o povo imagina que um homem fala com Deus, vai segui-lo como a um profeta. Se um profeta fala com Deus, mas o povo não acredita nisto, ele não tem seguidores. O poder de fazer-se acreditar (retórica) é, no entanto, um poder carismático autêntico — concomitante ou não com outros poderes carismáticos, [como, por exemplo], César [que] tinha o dom da estratégia e o da retórica concomitantemente, [e] Cícero, [que só tinha] o da retórica. [grifos meus]

Em *A revolta das elites*, Lasch expõe que a "moléstia democrática" surge exatamente por causa da petrificação moral da casta do espírito discutida por Olavo. O americano não nega, e muito menos despreza, a função sacerdotal do homem que vive a vida do intelecto. No entanto, o que aponta com muita perspicácia — e é disto que Olavo parece não ter se dado conta em seu ensaio sobre o livro — é que a "tirania dos especialistas", o reino da *pleonexia*, instala-se certamente no coração do intelectual dominado pelo pensamento de esquerda, mas que o mesmo fenômeno ocorre com quem pretende realizar uma oposição simétrica a este tipo de hegemonia.

Na leitura de *O imbecil coletivo* como um todo, temos um programa de desinfecção deste tipo de vírus marxista. Porém, ao mesmo tempo, dá-se a impressão de que Olavo quer substituir essa elite que perverteu a casta do espírito por uma outra, que a colocaria em seu devido lugar na sociedade.

No fundo, apesar de seu diagnostico em geral ser certeiro, o que Olavo propõe, na prática e no detalhe, é a famosa substituição de "seis por meia dúzia". Ou seja: quando uma determinada elite pretende concentrar o seu poder, mesmo com a bela intenção de distribuir o conhecimento e a informação para o resto da sociedade, o resultado será inevitavelmente o oposto.

Sobre este assunto, Michael Oakeshott, Friedrich Hayek e Michael Polanyi argumentam, com uma abundância de provas em suas respectivas obras, que, numa sociedade realmente livre, o conhecimento só pode existir se for caótico, desorganizado, fragmentado e disperso, chegando a alguma coerência somente por meio de um processo decisório que venha "de baixo para cima", jamais por meio de uma casta específica que seja liderada por alguém dotado de um "poder carismático" e que pretenda alterar os rumos de uma nação a longo prazo.

Olavo de Carvalho, entretanto, pensa o contrário — e aqui está a sua discordância central com o princípio descoberto por Christopher Lasch, embora o utilize conforme a conveniência de "determinadas circunstâncias". E, com isso, chegamos a um dos enigmas que este livro tenta responder: *até que ponto o sujeito que procura, a todo custo, criar uma "verdadeira elite intelectual" para restaurar a "inteligência" do país, não abandona a luta interior, essencial para o árduo método filosófico, e assim se deixa possuir pelo seu próprio "espectro da heresia"?*

É evidente que tal impasse é natural para um pensador que se arrisca demais e, por isso mesmo, também pode errar de maneira catastrófica. A questão que surge é saber se ele, como o filósofo que é, tem plena consciência disso.

9.

No perigo da agitação dissoluta da vida intelectual, é absolutamente comum um filósofo ambicioso que tenta superar os dilemas da Dama Filosofia — como é o caso exemplar de Olavo, se nos lembrarmos do problema apresentado inicialmente por Benedito Nunes — perder o prumo daquilo que é o seu *filosofema*. Por isso ele deve ter, antes de tudo, um método que lhe dê um norte. É esta a função que cumpre a "dialética simbólica" na obra do autor de *O jardim das aflições* — exposta em um ensaio de mesmo nome, escrito em 1985, publicado no mesmo ano, no volume *Astros e símbolos*, e relançado, praticamente sem alterações, em 2007 e em 2015, nas reedições com o mesmo título, por duas editoras diferentes (É Realizações e Vide Editorial, respectivamente).

Os dados históricos da publicação deste texto são fundamentais porque mostram a importância capital deste escrito para Olavo, segundo suas próprias palavras em "Esboço para um sistema de filosofia" (1997). O método da "dialética simbólica" é o que o orienta nos diversos campos da filosofia abordados durante a sua carreira — da metafísica à filosofia política, passando pela epistemologia e até mesmo a lógica. Portanto, aquele que se sentir perdido ante a complexidade do pensamento do autor deve sempre recorrer a este texto norteador.

Olavo começa seu raciocínio com a seguinte afirmação: apesar de existirem gradações da realidade quando passamos do "conceito abstrato de equilíbrio à tentativa de equilibrar alguma coisa real — por exemplo, quando aprendemos a andar de bicicleta —, verificamos que a nossa imagem de perfeita simetria se rompe no impacto de sucessivas desilusões: de fato, não existe equilíbrio perfeitamente estático em parte alguma do mundo sensível".

Neste palco onde a instabilidade do conhecimento efetivo e seguro (a *episteme* filosófica) é a regra, não há equilíbrio ou simetria, além de a nossa expressão dessa incerteza primordial ser extremamente falha. Contudo, ao passarmos "da ideia de equilíbrio estático à de equilíbrio dinâmico, isto é, do conceito abstrato à experiência concreta", verificamos "que [quando] o equilíbrio não é feito de simetria e equidistância, mas também de interação, de conflito e de reciprocidade entre os dois polos, então estes já não são *opostos*, e sim *complementares*".

Isto ocorre por causa da variável do *tempo* — ou, para sermos mais precisos, de um ponto de referência que nos permite ver uma *sucessão* de acontecimentos. Este ponto é o próprio homem. É ele que consegue fazer naturalmente a passagem de um "primeiro raciocínio", que é o "raciocínio *lógico-analítico* — ou de identidade e diferença", para "um segundo, [que seria] o raciocínio *dialético* (no sentido hegeliano e não aristotélico do termo)". Olavo detalha ainda mais essa distinção:

> Os que se imaginam hegelianos sempre acusaram a lógica de identidade de ser puramente estática, de visar antes a abstrações formais do que às coisas concretas, imersas no fio do tempo, submetidas a transformações incessantes. O raciocínio dialético pretende apreender o movimento, vital por assim dizer, das transformações reais no mundo dos fenômenos. A verdade, segundo este método, não está no conceito fixo dos entes isolados, mas no processo lógico-temporal que ao mesmo tempo os revela e os constitui. É o sentido da famosa fórmula de Hegel: "*Wesen ist was gewesen ist*" — "A essência [de um ente] é aquilo em que [esse ente] se transformou". Ou, em outros termos: *ser é devir*.

Para sair desse impasse da gradação entre os dois polos, Olavo propõe uma terceira forma de pensar: a simbólica espiritual (termo retirado diretamente dos escritos de René Guénon), cujos emblemas maiores de complementação seriam o Sol, que representaria "a intelecção, a verdade", e a Lua, considerada como símbolo da "mente, [do] pensamento, a imagem subjetiva da verdade". Neste tipo de dialética, a verdade objetiva estaria "latente", constituída no "espírito humano pelo processo do devir que a patenteia, que a *veri-fica*". O importante é que esta gradação também marca uma "passagem de plano, uma *subida de nível*", pois, ao "passarmos da oposição estática à complementaridade dinâmica, do raciocínio estático ao dialético, mudamos de posto de observação, e um novo sistema de relações se evidenciou no espetáculo de coisas".

Para que essa "subida de nível" seja realmente eficaz, a dialética criticada por Olavo precisa perceber que se vê diante de um "trágico dilema": ou opta "por um discurso interminável — o qual, não possuindo limites, deixa de ter conteúdo identificável, como bem o assinalaram os críticos neopositivistas de Hegel — ou determina arbitrariamente, e irracionalmente portanto, um ponto final qualquer para o processo dialético". Para não cair no mesmo erro de Hegel — que acreditou superar a filosofia e acabou morrendo logo depois, sem testemunhar a continuidade dela —, há de se passar "acima da dialética, galgar mais um degrau, subir a um enfoque mais vasto e abrangente".

O socorro para este impasse virá do "modelo celeste", em que "todas as oposições — e todas as complementaridades, portanto — se fundam em algum traço comum, que se polariza inversamente num elemento e no outro". Trata-se de um jogo sério que vai da "identidade à diferença e novamente à identidade [e que] só pode desenrolar-se perante um observador estático, firmemente instalado no seu posto de observação".

Pode-se pensar, claro, no homem, ponto de referência entre os polos do equilíbrio e da instabilidade, já que normalmente ele não tem como abandonar esse posto. No entanto, ele pode fazer algo pior: divagar em sua imaginação, "entre os espaços celestes", caindo na "fantasia informe". Para Olavo de Carvalho, o "antídoto a esse perigo é a *astronomia*: pela correta medição, o homem restabelece na sua representação a figura verdadeira dos céus, e já tem o apoio de um novo modelo intelectual — calcado, segundo Platão, na inteligência divina — para buscar um ponto de vista que lhe permita ultrapassar a dialética vulgar, penetrando no plano do que poderíamos denominar a *dialética simbólica*".

A diferença fundamental entre essa dialética, que se apresenta como um "novo modelo intelectual", e a "dialética vulgar" (no caso, a hegeliana) é que, se antes o fator "tempo" era importante, agora temos o elemento "espaço", que complementaria "o modelo em que se apoiavam nossas representações e os modelos sensíveis das respectivas formas de raciocínio". Para sedimentar tudo isso em um raciocínio coerente, Olavo afirma o seguinte:

> Podemos dizer que o ponto de vista dialético [comum] correspondia a uma observação meramente "agrícola" dos céus: tudo quanto ele captava era a ideia de transformação e de ciclo. A dialética simbólica, agora, vai partir de um entendimento propriamente astronômico, e lançar-se à compreensão do entrelaçamento especial dos vários pontos de vista e dos vários ciclos que eles desvelam.
>
> Ora, se abandonamos o ponto de vista terrestre e levamos em consideração o sistema solar como um todo — isto é, o quadro maior de referências no qual se estatuem e se diferenciam os vários elementos em jogo —, verificamos que, na realidade, a Lua não está nem oposta ao Sol, como no raciocínio de identidade estática, nem coordenada a ele, como no raciocínio dialético, mas sim *subordinada*. Aliás, está até mesmo duplamente subordinada, por ser o satélite de um satélite. A Terra está para o Sol assim como a Lua está para a Terra. Formamos assim uma proporção, e aqui pela primeira vez atingimos um enfoque *racional* de pleno direito, desde que "razão", *ratio*, não quer dizer originalmente nada mais que *proporção*. É a proporção entre nossas representações e a experiência, e entre os raciocínios e as representações, que assegura a racionalidade dos nossos pensamentos e, em última instância, a veracidade de nossas ideias.

Para manter a leitura dessa proporção em um rumo correto, Olavo apresenta uma outra modalidade de raciocínio, que resolveria os "aspectos parciais" da oposição e da complementação — e que alcançariam a sua proporcionalidade somente se fossem reabsorvidas em um princípio unitário que as constitui. Trata-se da *analogia*, algo que, segundo Olavo, estaria repleto de "equívocos", quando debatido ou usado nos meios intelectuais, porque "muitos autores acreditam que se trate da constatação da mera semelhança de formas" ou "uma forma primitiva e vagamente 'poética' de assimilação da realidade, distinguindo-se radicalmente da apreensão racional e lógica".

Segundo Olavo, para quem se arrisca a praticar a dialética simbólica, convém muito cuidado de modo a não aplicar a analogia como se fosse uma forma superior de raciocínio (o erro comum aos "astrólogos e ocultistas") ou uma maneira depreciativa de valor cognitivo (como fazem os "filósofos acadêmicos"). Ela deve ser utilizada como uma "ferramenta sutil, de precisão", jamais comprimindo "o macro no micro". Um instrumento para manter a proporção nas diferenças, uma vez que este termo "dá a entender que se trata de uma relação em sentido *ascendente*", para irmos do visível ao invisível e assim termos a apreensão correta da "essência espiritual":

> Os dois objetos unidos por uma relação de analogia estão conectados *por cima*: é em seus aspectos superiores, e por eles, que os entes podem estar "em analogia". Uma analogia é tanto mais evidente quanto mais nos afastamos da particularidade sensível para considerar os entes sob o aspecto da sua universalidade. Correlativamente, essa relação se desvanece quanto mais encaramos os entes por seus aspectos inferiores, pela sua fenomenalidade empírica, que é precisamente o plano onde, malgrado as altas pretensões que ostentam, se movem os astrólogos e ocultistas.
>
> O que estabelece uma analogia entre dois entes, portanto, não são as similitudes que apresentam no mesmo plano, mas o fato de que *estão ligados a um mesmo princípio* [que pode ser lógico, ontológico ou metafísico], que cada qual representa simbolicamente a seu próprio modo e nível de ser, e que, contendo em si um e outro, é forçosamente superior a ambos. É nesse nível de universalidade que se celebra no céu o liame de analogia que vai unindo, numa cadeia de símbolos, o ouro ao mel, o mel ao leão, o leão ao rei, o rei ao Sol, o Sol ao anjo, o anjo ao Logos. Visto desde cima, desde o princípio que os constitui, eles revelam a *proporcionalidade* entre as funções simbólicas que desempenham para a manifestação desse princípio, cada qual no nível cosmológico que lhe corresponde, e é essa proporcionalidade que constitui a analogia. Vistos desde baixo, desde a fenomenalidade empírica, eles se desmembram na multilateralidade das diferenças. Assim, a analogia é simultaneamente evidente e inapreensível; óbvia para uns, inconcebível para outros, conforme a unidade ou fragmentação das suas respectivas cosmovisões.

Na dialética simbólica proposta por Olavo, a analogia leva ao conhecimento do princípio que, de certa forma, já existia virtualmente dentro de nós. Aprisionados entre as fórmulas abstratas dos princípios universais e o empirismo "cego e tedioso" de uma experiência concreta descolada de uma verdade universal, precisaríamos dessa "escalada das analogias" para justamente transpormos esse "hiato", sempre tendo como meta um "conhecimento vivido e concreto" do princípio buscado por quem pratica essa dialética tão especial. A analogia e o simbolismo, por meio das ciências e técnicas espirituais que objetivam cristalizar e condensar a compreensão dos símbolos na nossa vivência subjetiva, ajudar-nos-iam a "transformar e alargar a psique individual de modo que ela mesma chegue a uma envergadura universal, a imagem do *Homem universal* [o protótipo da humanidade], que é compêndio e modelo do cosmos inteiro".

Com isso, reencontraríamos o princípio da identidade, não como fórmula abstrata, mas como "realidade plena, como sentido de verdade e verdade do sentido, como unidade da verdade e do sentido. É somente assim que se estende o que a escolástica denominava *universal concreto*, síntese de universalidade lógica e de plenitude existencial".

Tudo isso seria uma forma de reunificar não só o homem consigo mesmo, mas principalmente ajudar por completo no "reencontro com Deus". Olavo se apoia aqui em Hugo de São Vítor para dizer que sua dialética simbólica significa também o "reencontro do homem exterior, ou carnal, com o homem interior, espiritual", no qual a "faixa imaginária" entre o espírito e o corpo seria a "afecção imaginária", a "imaginação mediadora", onde se daria "o conhecimento das analogias e do simbolismo em geral, e é nela que se [daria] o reencontro da verdade universal com e na experiência concreta".

Aqui, se não existir a escalada no mundo sem a ajuda da "afecção imaginária" e sem a dialética simbólica, Olavo escreve que "a mente humana estará sempre dividida entre o particular empírico e o geral abstrato, não podendo elevar-se ao conhecimento da universalidade infinita, que é, bem examinadas as coisas, a única realidade concreta da qual tudo o mais é aspecto ou fragmento só obtido mediante abstração". Tal ascensão coincidirá com o instante em que "o *sentido* (conhecimento dos particulares em número indefinido, sem unidade) e o *entendimento* (conhecimento da unidade abstrata) [se unem com] a *razão* (conhecimento da unidade e da infinitude concretas) através da *imaginação*", com o topo sendo a "afirmação [do princípio] da identidade". Segundo Schelling, se o homem "conhecer o seu conteúdo", terá finalmente "contemplado a Deus".

No mundo real, entretanto, a "subida de nível" é apenas "o momento de reencontro", que dura pouco, muito pouco. Para recuperá-lo, Olavo sugere o seguinte complemento ao método:

> *É preciso, portanto, descer novamente do princípio às suas manifestações particulares, e depois subir de novo, e assim por diante.* De modo que a alternância sim/não, verdade/erro, que constitui para nós o início da investigação, é finalmente substituída, num giro de noventa graus, pela alternância alto-baixo, universal-particular. Passamos da oscilação horizontal para a vertical. E é justamente *o despertar da capacidade de realizar em modo constante a subida e a descida, que constitui o objetivo de toda educação espiritual*, sem a qual a perspectiva que nos é oferecida pela dialética simbólica se torna para nós apenas miragem. Compreendemos assim quanto é vão e pueril *todo ensino da filosofia que permaneça no nível da pura discussão e não inclua uma disciplina da alma*. [grifos meus]

Logo, se, para Olavo, a filosofia é um caminho que fortalece a disciplina da alma, ele precisa ter um extremo cuidado para saber se o método da dialética simbólica e o raciocínio da analogia estão absolutamente corretos, pois as implicações no uso, se errado, desses dois podem ser tremendas para a imaginação de cada um dos seus alunos. E, assim, chegamos à pergunta sobre se a analogia não seria capaz de cometer, como diria Jacques Bouveresse, tanto os seus "prodígios" e como as suas "vertigens" naquele que a pratica indiscriminadamente.

10.

A analogia sempre foi a força e a fraqueza dessas visões de mundo baseadas nas correspondências proporcionais entre o que é inferior e o que é superior, o que é invisível e o que é visível, nesta busca obsessiva para compreender "as maravilhas da coisa una". Não seria diferente com Olavo de Carvalho.

No ensaio "Especulações sobre alegoria e símbolo" (publicado no volume 8 da falecida revista *Dicta&Contradicta*), o professor Henrique Elfes explica pacientemente que, no território pantanoso da interpretação simbólica, existem dois tipos de religiões: as que são baseadas no "princípio da analogia" e as baseadas no "princípio da palavra".

O primeiro tipo é a religião panteísta no sentido mais amplo do termo, pois identifica a substância mesma da realidade, a sua *arché*, com a própria substância divina. A divindade, por um processo necessário de emanação, daria origem a diversos níveis "concêntricos", análogos entre si, de seres divinos ou espirituais, cada vez menos "reais" quanto mais longe se encontrarem do centro; o nível mais baixo seria o deste mundo, o dos seres materiais, que já confina com o nada. Elfes escreve que "o número desses níveis concêntricos, e portanto das entidades 'divinas', depende do autor ou do sistema que estudemos: desde os três básicos de Plotino até as centenas do hinduísmo védico".

Já o segundo tipo lida com as religiões consideradas monoteístas. Elas implicam uma total distinção entre o ser divino e o do universo. Se, para as religiões analógicas, vale o princípio hindu "Enquanto Brahma sonha, os deuses são" (isto é, a relação entre Deus e o universo é semelhante à que existe entre um homem e os personagens com que sonha), para as religiões da palavra essa relação é semelhante à que existe entre um artesão ou um artista e a sua obra. Ou seja, segundo Elfes, "Deus não *emana* o mundo espiritual e material por um processo necessário, mas o *cria* por um processo racional e livre".

Tendo essa distinção fundamental em mente, podemos então entender um pouco melhor a ambiguidade de se aplicar a analogia como uma forma de pensamento para compreender corretamente o mundo como ele é, e não o "mundo como ideia". Elfes articula, junto com as reflexões de Mircea Eliade, o modo como, nesse princípio, cada nível inferior é um microcosmo que reflete analogicamente (por semelhança = "é tal como...") aqueles que lhe são superiores, isto é, o macrocosmo. Assim,

> o microcosmo formado dentro da alma humana reflete o macrocosmo do universo material e do universo espiritual (o Uno e os deuses); o universo material por sua vez é um microcosmo que reflete o macrocosmo espiritual, e assim por diante. Como todos os níveis e todos os seres estão ligados entre

si de maneira analógica, todos — exceto o ser original, divino — são apenas símbolos de outros símbolos, reflexões de outras reflexões um pouco "mais reais". Toda a realidade dissolve-se em irrealidade — o mundo passa a ser apenas *maya*, "a ilusão" —, e caímos naquilo que Guimarães Rosa descreve como "essa série de símbolos que é esta nossa outra vida de aquém-túmulo".

Até aí, nada diferente do que Olavo também descreve como analogia em sua dialética simbólica. Contudo, Elfes traz à tona uma sutil diferença:

> [Em outras palavras:] afora o ser divino, *em última análise não há seres reais*. A realidade divina é a única realidade, e todas as coisas — deuses, homens e seres materiais são como que *ondas passageiras, menos ainda, reflexos dançantes na superfície do mar da divindade*. Como a analogia permite vincular tudo com tudo, tudo acaba simbolizando tudo, ou seja, no fim das contas tudo não significa nada. Se se leva adiante essa linha de pensamento, até a realidade divina acabará por identificar-se com o nada, como acontece no budismo Mahayana, para quem o fundo original do ser é *sunyata*, "o vazio". [grifos meus]

Em termos práticos, a analogia converte o próprio homem em um símbolo, tornando-o algo extremamente abstrato e, por isso mesmo, consegue aglutinar diversos grupos aparentemente díspares em suas linhas-mestres, como, segundo a lista feita por Elfes,

> o hinduísmo e a sua versão "reformada", o budismo; o taoismo tardio; os diversos politeísmos, grego, celta, latino, germânico, e tantos outros; a cabala e os gnosticismos apocalípticos hebraicos; os diversos gnosticismos cristãos, de Marcião no século II em diante; o zoroastrismo persa e seus derivados, como o gnosticismo maniqueu a que Santo Agostinho aderiu brevemente no século IV; o catarismo dos séculos XII-XIII; a alquimia, como podemos comprovar ainda nos séculos XVII-XVIII, pelos escritos de Isaac Newton; os diversos esoterismos dos séculos XVI-XIX, como os rosa-cruzes, maçons e tantos outros; o espiritualismo anglo-saxônico e o espiritismo francês, nos séculos XIX-XX; as diversas correntes e grupos *New Age*; e igualmente um certo tradicionalismo à René Guénon.

Ora, é justamente desse último grupo que faz parte, direta ou indiretamente, queira ou não, a dialética simbólica de Olavo de Carvalho. Elfes comenta que uma das consequências desse tipo de pensamento é que

> nessas religiões [de analogia] ocorre secretamente um assassinato, o do princípio da não contradição [chamado por Olavo de "princípio da identidade"] (porque Deus teria de ser ao mesmo tempo bom em si mesmo e mau em [outro sujeito] e em mim; lógico nas regularidades do mundo e ilógico na arbitrariedade a que está submetida a vida humana; real em si mesmo e irreal no mundo etc.). Ora, o princípio da não contradição é a base da lógica; em consequência, a razão é inaplicável nesses sistemas religiosos, e muitas vezes (como no budismo *Zen*) chega a ser considerada prejudicial, pois acorrentaria à ilusão. *Torna-se então necessário recorrer a uma 'sabedoria superior', geralmente esotérica — reservada aos iniciados, aos espíritos superiores, aos iluminados* — que venha a fazer a *coincidentia oppositorium*, a "harmonização dos opostos". [grifos meus]

É neste ponto que as visões sobre a simbólica religiosa de Olavo e de Elfes entram em choque. O primeiro acredita que sua dialética fundamenta e esclarece o princípio da identidade; o segundo afirma que este tipo de pensamento assassina secretamente a base da lógica e da boa racionalidade. Quem estaria certo? Na verdade, ambos têm razão neste ponto — o que torna evidente um irônico paradoxo, pois eliminaria de vez o princípio da não contradição nos dois raciocínios.

Porém, Elfes percebe indiretamente a solução deste impasse ao relembrar a "noção de criação", típica das religiões baseadas no "princípio da palavra". Ela traria uma "dupla realidade: a divina, fontal e absoluta, e a criada, que é reflexa e relativa. Ambas são, entretanto, *reais* — e assim impede-se o perigo de dissolver o mundo em uma sinfonia de símbolos sem entidade. Há sem dúvida um aspecto analógico na realidade criada, mas é uma analogia mais complexa, menos direta do que no caso das religiões analógicas".

O importante, para Elfes, é destacar que existem dois tipos de analogia quando a noção de criação passa a ser o eixo central de orientação neste intrincado debate:

Nas [religiões analógicas], um espírito ou uma divindade é mais perfeito na medida em que está mais próximo de Deus, e a situação do homem se define por estar "entre" o não ser da matéria e o ser da divindade; o homem não tem a rigor uma natureza, um ser próprio, mas apenas uma condição reflexa e de intermediariedade, puramente analógica. Nas religiões da palavra, pelo contrário, cada ser é tanto mais perfeito quanto melhor expressar a sua natureza peculiar e própria, que por sua vez reflete indiretamente a Deus na medida em que corresponde por assim dizer a um pensamento, a um projeto seu: *a analogia, na falta de uma palavra melhor, é "indireta", ao passo que nos panteísmos é "direta".*

Em consequência, há nos monoteísmos uma perfeição natural do ser humano, uma vida correta (como descrita, por exemplo, na *Ética a Nicômaco* de Aristóteles), que consiste na realização das potencialidades racionais da natureza humana (para o cristão, há uma "segunda" perfeição, a da santidade, que une o homem a Deus pelo amor em seu Filho, o Verbo encarnado; esta segunda perfeição apoia-se sobre a primeira, sem a anular). [grifos meus]

Essa encarnação de Deus em um homem concreto é o que possibilita o "nervo vital", a "carnatura viva da linguagem" em que o significado e o significante se unem indissociáveis na "lição de modelagem" poetizada por Bruno Tolentino — e é o que leva Elfes a ir além do seu raciocínio e afirmar sem hesitação que, em vez de ser chamada de a "religião da palavra", o mais correto seria chamar esta experiência de a "religião do *logos*".

Para Elfes, *Logos*, aqui, tem um sentido muito mais amplo do que o termo português ou até do que o latino *verbum*: significa não apenas "palavra" e "verbo" (a palavra por excelência), mas sobretudo "conceito" (a palavra na mente), "razão", "proporcionalidade", "estruturação lógica" interna do real, "verdade". A religião que aceita todos esses significados também acolhe a crítica grega, liderada por Platão no livro X da *Politeia*, de que o *logos* deve guiar o mito (*mythos*), como já vimos no capítulo 5 deste livro.

Apesar de o discípulo favorito de Sócrates não se desfazer completamente do princípio da analogia, este último retorna no cristianismo (a religião do *logos* por excelência) com rédea curta, principalmente pelas mãos do Pseudo-Dionísio Aeropagita, um místico platônico cristão dos séculos V e VI, que recuperou a tendência a interpretar a realidade como simbólica, sem negar que tenha sido criada.

Elfes argumenta que a noção da criação esconde uma revolução não apenas no modo de ler os escritos que fundamentam as bases metafísicas da religião do *logos* (no caso, as Escrituras), mas também na maneira de ler o próprio mundo em que habitamos. Ela restabelece

> o sentido literal ou natural do mundo real, o das essências ou naturezas das coisas, que serve de "âncora" necessária para quaisquer interpretações alegóricas. Fundam, assim, o modo propriamente moderno de ver o mundo: *a realidade é primariamente racional, e apenas secundariamente analógica*. A analogia, a imaginação estará doravante a serviço da exposição da racionalidade, da qual será um instrumento precioso e até necessário [...].

Esse novo modo de leitura do real tem consequências radicais, isto é, que chegam às raízes de todo o nosso modo de ver o mundo. Como vimos há pouco, na visão do platonismo [defendido pelo Pseudo-Dionísio], como praticamente não há ser em si, a perfeição do homem consiste na sua proximidade com o ser divino, na santidade, que é puro dom divino; na visão aristotélico-tomista, a perfeição de cada ser consiste primariamente na perfeição com que expressa a sua natureza, isto é, nas virtudes que adquire, enquanto a santidade propriamente dita apoia-se sobre as virtudes e opera também através delas.

Essa nova visão do mundo é também o que permite o progressivo desvinculamento da política e da religião, até se chegar à atual e altamente desejável separação entre Igreja e Estado; a explosão da filosofia medieval, que passa a ser independente da teologia e por isso está livre para estudar o mundo; e o nascimento das ciências a partir do século XII, primeiro de uma física hesitante que ainda tinha de livrar-se das cascas do ovo, isto é da *Física* aristotélica (mas não da *Lógica* nem da *Metafísica*), e depois de todas as outras.

A longa análise de Henrique Elfes sobre o uso da analogia serve para entendermos melhor que a dialética simbólica — o método fundamental da filosofia de Olavo de Carvalho — pode cair no mesmo perigo de se exceder tanto nos seus "prodígios" quanto nas suas "vertigens", em especial quando aplicada na leitura objetiva do mundo. Afinal, Jacques Bouveresse — um filósofo que não é nem um acadêmico, muito menos um inveterado por disciplinas esotéricas — já nos avisou que a analogia torna-se um procedimento duvidoso, principalmente quando este método "repousa sobre dois princípios simples e particularmente eficazes nos meios literários e filosóficos: (1) destacar sistematicamente as semelhanças mais superficiais, *apresentando isso como uma descoberta revolucionária*; (2) ignorar de modo igualmente sistemático as profundas diferenças, exibindo-as como detalhes insignificantes que só podem interessar e *impressionar os espíritos pontilhosos, mesquinhos e pusilânimes*". [grifos meus]

11.

Os usos e abusos da analogia, não só como fundamento das religiões baseadas nela, mas também na lógica interna do sistema filosófico esboçado por Olavo de Carvalho, são resultado da excessiva preferência que o filósofo brasileiro tem pelo intelecto como forma de compreender — e *ler* — a estrutura da realidade. Em um ensaio intitulado justamente "O valor do intelecto", escrito e publicado em 1985, praticamente na mesma época em que divulgou a primeira versão de "A dialética simbólica", ele escreveu que "a depreciação do intelecto, mesmo feita em nome de supostos 'meios superiores' de conhecimento, é [...] antiespiritual em sua essência".

Mesmo tendo elaborado este raciocínio na época em que fazia parte de *tariqas* islâmicas (inspiradas por Frithjof Schuon), ainda assim, se aplicarmos o *filosofema* que dá unidade aos seus argumentos, a afirmação de Olavo não perde a validade. Esse desprezo do intelecto, segundo ele, seria inspirado "pelo apego à imaginação e à sensorialidade, funções que, uma vez reprimido ou entorpecido o intelecto, exercem um poderio sem freio sobre o homem, revestindo-se inclusive da autoridade que pertence exclusivamente ao intelecto e pretendendo ditar 'verdades' cuja confusão mesma já basta para caracterizá-las como mentiras ou desvarios".

Por coincidência, é o mesmo argumento, resumido agora em uma frase, que Olavo articulou para se certificar de que Bruno Tolentino, no poema "O espectro", se aproximava perigosamente do "satanismo". Contudo, isso não o leva a também desprezar a fé, pelo menos segundo a sua visão de que ela significa, em latim, *fides*, que tem a acepção de "fidelidade", de "constância" e de "confiabilidade", nada permitindo interpretá-la no sentido de uma adesão irracional a crenças insensatas ou incertas. A virtude da fé significa que o homem, uma vez tendo aprendido pela razão e pela evidência uma verdade, permanecerá fiel a ela, mesmo quando sua imaginação, seus sentimentos ou sua vontade — para não falar de fatores coercitivos meramente externos, como a opinião grupal ou a pressão das circunstâncias — o inclinarem em sentido oposto. Dentro do campo cristão, a concepção não é diferente, desde que a teologia escolástica, com Santo Tomás de Aquino à frente, declara que a fé não é uma atitude de sentimentos — e muito menos de algum impulso obscuro, inexplicável e "subconsciente" — porém uma decisão do intelecto e da Vontade. No mundo judaico, o valor do intelecto e do pensamento é afirmado com sinal de soberania intelectual e moral da pessoa humana, e atestado, entre outros fatos, pelo amor que o povo judeu dedica aos livros e à arte do debate, que é fundamental para a manutenção da "Torah vivente".

Olavo tampouco minimiza as experiências místicas, sejam as cristãs ou as muçulmanas. Pelo contrário: reforça que essas expressões "que proclamam sua fé acima e independentemente de motivos racionais, não podem ser desonestamente empregadas para justificar o ataque ao intelecto, pois expressam apenas, *em modo hiperbólico*, a fidelidade do crente à verdade apreendida, mesmo acima e independentemente dos meios da descoberta e prova que a ela conduziram e que a sustentem no campo do pensamento discursivo". [grifos meus]

Apesar do "modo hiperbólico" como essas verdades são expressas, Olavo deixa claro que "o sentido dessas expressões" mostra como a "verdade",

> mesmo imperfeitamente apreendida, vale mais do que um erro, mesmo fundado em razões aparentemente lógicas: mais vale crer numa verdade que não se sabe provar do que deixar-se enganar por falsas provas. O próprio estilo hiperbólico de tais declarações evidencia que eles veiculam hipóteses extremadas, que tomadas ao pé da letra ou em modo plano resultariam no absurdo puro e simples.

O intelecto — e não a realidade em si — faz o ser humano ficar obediente à verdade revelada. Quando a realidade se apresenta de forma incontornável, o intelecto organiza os dados em uma linguagem falha, mas capaz de orientar aquele que estava perdido na selva dos sentidos, principalmente por meio de rituais e regras comportamentais. O que causa confusão é o que acontece quando o intelecto "pode efetivamente corromper-se e falhar", pois, se por um lado, "a verdade apreendida pelo pensamento não permanece", por outro ela "some quando o homem para de pensar no assunto, e pode, portanto, ser esquecida". A resposta para este dilema, segundo Olavo, é

> a necessidade da prática religiosa e mística que *consolide* no próprio *modo de ser* da pessoa a posse da verdade percebida. Este é o sentido, aliás, do termo latino *hábito*, que vem do verbo *habere*, "possuir". Não basta apreender a verdade pelo pensamento, é preciso transformá-la num *hábito* ou posse permanente, e que só se obtêm pela remoção das distrações e pela concentração do intelecto. A concentração, como é óbvio, *intensifica* a atividade do intelecto, e nunca a suprime a pretexto de desenvolver supostas "faculdades superiores". O termo "visão interior" utilizado por todos os místicos, refere-se ao *estado de evidência permanente que é alcançado pelo intelecto*, e que nunca poderia ser alcançado pelo seu mero exercício esporádico e intermitente, e sim somente pela prática voluntária e regular. Por outro lado, a possibilidade da corrupção não decorre de alguma falha constitutiva do próprio intelecto, mas do simples fato de que pensar é simultaneamente um ato lógico (portanto ontológico) e um ato psicológico (portanto biológico), respondendo simultaneamente, de uma parte, às exigências constitutivas da verdade e, de outra parte, às contingências e demandas do corpo em sua instabilidade e flutuação cíclica. *Quando o pensamento é fiel à sua missão, quando ele se atém à universalidade lógica que reflete a permanência e a universalidade do ser, ele é o "intelecto são" que conduz o homem à verdade*. Quando, ao contrário, ele se deixa envolver pelas funções inferiores e se torna escravo da imaginação e dos desejos, ele mergulha na obscuridade subjetiva dos impulsos biológicos, e é o "intelecto doente" que encerra o homem na prisão da mentira e da ilusão. [grifos meus]

O homem que escreveu "O valor do intelecto" será rastreado em trilhas futuras, como já percebemos nas suas análises sobre as obras de Bruno Tolentino e de Christopher Lasch. Mas aqui já o encontramos cristalizado, quando afirma que uma verdadeira "via espiritual" jamais haverá de fato se o sujeito que evitar praticá-la restringir ou desestimular "a ação do intelecto", excitando assim a "imaginação (mediante histórias, mediante situações incongruentes, mediante uma sucessão de estímulos desencontrados)".

Ao mesmo tempo, se continuar nesse rumo, "ele dará livre curso aos desejos e [abolirá] qualquer regra moral explícita", concorrendo "unicamente para a sujeição do intelecto às paixões, e portanto para a eclosão da 'rebelião' que fará do intelecto doente e mundanizado um tirano a serviço do ego subjetivo", no rebaixamento do "homem a um nível inferior ao do animal, ao mesmo tempo que lhe dá a trágica ilusão de estar 'evoluindo espiritualmente'".

O que Olavo de Carvalho propõe neste trecho, *in nuce*, é um programa de reforma *intelectual, moral* e *espiritual* do ser humano que, se não é a reforma racionalista moderna elaborada pelos "mestres da suspeita" (como são conhecidos Descartes, Spinoza, Marx, Freud e até mesmo Foucault), trata-se também de um *racionalismo perenialista*, cuja simbólica religiosa transforma o homem em algo abstrato, análogo ao macrocosmo, sem qualquer espécie de "nervo vital" que faça a conexão imprescindível entre o que percebemos ser o "mundo como ele é" e o que pensamos ser "o mundo como ideia".

Na verdade, apesar da disparidade de tradições filosóficas — dos "libertinos" renascentistas (aqui sem qualquer conotação sexual), passando pelo racionalismo filosófico cartesiano, até os iluminismos francês, alemão e mesmo o inglês (na verdade, os inimigos reais contra os quais o perenialismo adaptado por Olavo investe com todas as suas forças) —, todas podem convergir, principalmente após o Renascimento e o surgimento do "anti-indivíduo", naquela tentação, típica do intelecto que esconde o pecado original que mora na sua raiz, de a razão ser "a única potência capaz de responder a todas as questões humanas", segundo as palavras de Henrique Elfes.

Se olharmos tudo o que foi minuciosamente discutido neste capítulo sob tal prisma, esse "racionalismo unilateral" aparenta ser uma "salvação pela filosofia", privilegiando, ainda de acordo com Elfes,

> o conhecimento adquirido em guetos de especialistas e protege-o com uma linguagem hermética; destrói a educação da emotividade que era feita pelos ritos, e portanto a imaginação criadora dos símbolos; e relega a vontade ao papel de puro imperativo categórico irracional.
> [...] [Existem vários exemplos deste tipo de racionalismo na história das ideias, entre eles,] o idealismo alemão com o seu *Geist* ("Espírito") que evoluiu dialeticamente em uma série de passos necessários (níveis concêntricos) até encontrar a forma suprema no... Estado prussiano! Ou a sua progênie materialista, o marxismo e os seus descendentes, que dotam a matéria de atributos divinos (autocriação, autoestruturação, totipotência etc.). Vão na mesma linha o nacional-socialismo (que diviniza a raça) e o liberal-pragmatismo (idem, a liberdade). Há também o positivismo de Comte ("religião da humanidade"...), o darwinismo popular (não o de Darwin, mas o de Huxley e Haeckel), o freudismo e sua prole, e o cientificismo atual, à Dawkins, prostrado em adoração perante o acaso criador e o seu profeta, o gene egoísta. Diante deste panorama, só se pode constatar que não há nada mais irracional que o racionalismo.

Os exemplos descritos acima e o comportamento considerado racionalista compõem uma atitude muito peculiar, antevista por Michael Oakeshott em um clássico ensaio, intitulado "Racionalismo na política". Seu diagnóstico é de que a ação política predominante no mundo ocidental, em especial o europeu, possui uma raiz redutora nas suas ações, incapaz de aceitar a "capacidade negativa" da existência, tendo uma "disposição mental de contornos gnósticos".

Assim, a mente de um sujeito que pratica exaustivamente este tipo de racionalismo — que, na verdade, é uma perversão da faculdade de pensar, como já vimos — "não tem atmosfera, mudança de estação e temperatura; seus processos intelectuais, até onde é possível, são insulados de qualquer influência externa e funcionam no vazio". Seu comportamento habitual é "apontar o dedo para a humanidade", vendo os tormentos da nossa condição apenas como "uma questão de resolver problemas, e ninguém pode pleitear ser bem-sucedido nessa tarefa se sua 'razão' for inflexível devido à rendição ao hábito ou se estiver anuviada por efeito das fumaças da tradição".

A "política racionalista" dos nossos dias, se podemos chamá-la assim, é uma extensão da "engenharia", uma "política da perfeição e da uniformidade", na qual a "erradicação" de qualquer falha, lacuna ou pessoa descontente torna-se a primeira regra do seu *credo*, dominando a mente. O que sobra, portanto, é "uma compreensível utopia", um "perfeccionismo nos detalhes" e um *completo desprezo pela dinâmica imprevisível da conduta humana*.

Esse desprezo é traduzido no fato de que a tal da "salvação pela filosofia", que se tornou a raiz para uma inimizade mortal contra o cristianismo, recusa-se a entender que o centro desta "religião do *logos*" é, conforme a observação perspicaz de Elfes, "o conceito de *pessoa*", e isto "instaura na história coletiva e individual a tendência para centrar tudo na pessoa plena, foco de dignidade, de direitos e deveres, e *repleta de interioridade*".

12.

Ora, o Curso Online de Filosofia, a grande obra de Olavo de Carvalho — originada em 2009, depois que o filósofo se mudou definitivamente para o autoexílio nos Estados Unidos, cinco anos antes —, é nada mais, nada menos que a culminação de todo esse processo de "salvação pela filosofia"; e é também a prova derradeira daquele famoso princípio existencial articulado pelo historiador americano Daniel J. Boorstin: "*O maior inimigo do conhecimento não é a ignorância, mas a ilusão do conhecimento.*"

Se quisermos entender isso, é fundamental descobrirmos, por meio de uma análise dos temas e da estrutura do COF, qual é a *verdadeira unidade* do conhecimento na unidade da consciência que Olavo tanto defende nas suas aulas e nos seus escritos. E, para isso, é importantíssimo perceber, logo de antemão, o eixo sobre o qual todo o curso se estrutura: o da *confissão*.

A confissão, para Olavo, é aquele momento em que o aluno está disposto a mostrar a sua alma com absoluta sinceridade, sem as suas máscaras sociais, sem os maneirismos e, o mais importante, sem os tiques verbais impostos por uma existência histórica na qual todos vivem em um mundo culturalmente devastado, cujas maiores representações são as universidades (em especial, a USP) e a grande mídia.

Em termos práticos, o estudante entrega a sua *interioridade* graças ao exercício do necrológio, no qual o pupilo se predispõe a escrever sua vida como se estivesse diante dos olhos de Deus. A predisposição de abrir o coração logo no início do curso já é o indício de uma mudança de sensibilidade que o COF pretende fazer não só na vida intelectual do aluno, mas sobretudo na imaginação dele.

Servindo como contraponto à terra estéril da cultura brasileira, Olavo se apresenta como o filósofo que vai reeducar e restaurar a sua "imaginação mediadora", desde que o pupilo entenda que existem certas regras a serem obedecidas, numa aplicação exata do "paralogismo de curto-circuito" dissecada por Daniele Giglioli em *Crítica da vítima*.

A primeira delas é compreender que o professor é o responsável por determinar a duração do curso. O COF (cujo número aproximado de alunos está na casa de cinco mil) pode ou não pode durar cerca de cinco anos. O prazo será determinado por Olavo, o qual, inspirado no modelo de ninguém menos que Sócrates como exemplo para o método filosófico, será o centro de uma nova comunidade de amigos que sairá do "obscurantismo moderno" e que tem o compromisso de recuperar a "alta cultura no Brasil".

Só assim o aluno pode iniciar aquilo que Olavo chama de "seriedade moral na busca filosófica", que, além das leituras especificamente literárias (para treinar a expressão e a capacidade linguísticas), exige também as leituras filosóficas, em conjunto com exercícios de meditação que reforçam o *hábito* do intelecto e fazem os estudantes perceberem que há uma aceitação total e completa da realidade objetiva. Como se não bastasse, Olavo sugere que cada aluno faça um "voto de abstinência em matéria de opinião", pois somente após muitos anos de estudo o participante dessa comunidade saberá se suas opiniões podem mudar o estado de coisas.

Entre os diversos exercícios que ajudam a estimular o intelecto está o da "presença do universo". Consiste — segundo a transcrição de uma das aulas, feita pelo português Mario Chainho, um dos alunos mais fieis do COF — em ir para

> um lugar descampado, sem ninguém, deitar, sentir a densidade da terra por baixo e a *infinitude* do céu em cima. E vamos perceber que estamos ali realmente, sem a nossa rede de contatos sociais, sem o nosso universo linguístico. Este exercício visa a tomarmos a consciência não-verbal da nossa presença física no universo ilimitado e a desenvolvermos o senso da presença maciça da realidade, face à qual os nossos pensamentos não podem absolutamente nada. Não é um exercício de sensibilização para sentir mais coisas no corpo, é deixar que a realidade inteira da situação se manifeste, incluindo o nosso corpo e os nossos pensamentos, em que cada coisa terá o seu modo de presença. Por maior que seja o universo, ele não nos chega como um caos, mas surge terrivelmente organizado, tudo com uma certa perspectiva (visual, sonora, táctil). Trata-se de aceitar a realidade e não ir atrás dela.

Tudo leva a crer que esta tarefa é uma forma de percebermos o espanto do real, o *thambos* do qual tanto fala Aristóteles em sua *Metafísica*, mas, na verdade, é uma síntese da aplicação precisa do que foi defendido em "O valor do intelecto" e em "A dialética simbólica". Aqui, o método de aprendizado é articulado em um movimento vertical, cujo ritmo constante de *"descer novamente do princípio às suas manifestações particulares, e depois subir de novo, e assim por diante"*, revela *"o despertar da capacidade de realizar em modo constante a subida e a descida, que constitui o objetivo de toda educação espiritual"*.

Com esses fundamentos bem sedimentados, Olavo passa a fazer um diagnóstico implacável da corrupção da inteligência que contaminou não só o Brasil como também o resto do mundo. O inimigo, no caso, é o globalismo, a religião instrumentalizada que "desumanizou a pessoa" e "destruiu o conhecimento" da tradição sagrada, acentuando a força do cientificismo no cotidiano da humanidade, além de aprofundar como nunca o segredo em torno do núcleo de quem comanda o poder. Para o filósofo (sempre segundo a transcrição de Chainho), o movimento globalista pretende antever como deve ser o futuro, onde naturalmente os globalistas assumirão o controle "humano" da Natureza e a centralização do poder, o que, por sua vez, aumenta o *momento* do movimento. Os liberais que se opõem à centralização de poder dentro das nações apoiam o comércio internacional e outras iniciativas cujo efeito é a criação de poderes à escala global. Eles são um exemplo daquilo que é não ter um ponto de vista suficientemente amplo para entender a situação global, porque adotam a perspectiva econômica claramente insuficiente, tal como é insuficiente o enfoque marxista.

Portanto, os alunos do Curso Online de Filosofia têm um "papel interventor" para impedir tal situação, pois

> devem ter sempre presente o senso da miséria do ambiente à sua volta, e ter a noção de que é melhor ficar no vazio e sem referências por algum tempo do que recorrer a alguma referência local para parecer igual aos outros ou para parecer dotado de comunicabilidade (algo que não existe realmente hoje em dia). Então, não há que ambicionar ter um papel na cultura brasileira com o intuito de participar na conversa no nível que ela tem hoje. É preciso criar outras funções, inventar novos meios de atuação; não temos que nos amoldar em nada ao presente estado de coisas. *Não devemos tentar fazer algo que seja compreendido pelo presente meio acadêmico, mas fazer coisas que só serão realmente compreendidas por pessoas como nós, que existirão no futuro.* Podemos intervir pontualmente no debate atual, para denunciar certas pessoas, mas a preocupação fundamental é criar um outro debate acima deste, que irá se sobrepor ao atual e, pelo seu peso, fará este ceder. Para melhorar substancialmente o presente debate, teria de haver nele uma raiz do que é bom, mas esta condição não se cumpre. *O ambiente em que vivemos não está apenas corrompido, ele é também corruptor.* O trabalho que os alunos virão a realizar poderá inspirar a futura classe política (esta é uma das suas funções dos alunos em alguma medida), mas é preciso distinguir a função intelectual da função política, incluindo a do mero debatedor de ideias. A esquerda sempre soube disto: os seus intelectuais não procuravam convencer as massas, mas preocupavam-se em gerar as possibilidades de uma política. [grifos meus]

Não há como negar, ao lermos este trecho, que Olavo pretende fazer com o COF o que esboçara nos seus escritos sobre "Ser e poder" e na apostila "Inteligência e verdade": a criação de uma casta espiritual-intelectual que, mais do que ser uma elite (como imaginava nos distantes anos 1990, no antigo Seminário de Filosofia), influenciará os rumos da nação no longo prazo, uma vez que o filósofo projeta o surgimento de uma comunidade em um futuro indistinto.

Apesar de parecer um reacionário, Olavo, junto com o Nobel da Economia Richard Thaler, faz parte de uma tendência contemporânea (imperceptível aos olhos de outros analistas) nos estudos políticos que consiste numa fusão inusitada do "racionalismo na política" denunciado por Oakeshott e da "mente naufragada" descrita por Mark Lilla. Trata-se da imaginação distorcida de alguém que, em um meio "onde os outros veem o rio do tempo fluindo como sempre fluiu", enxerga "os destroços do paraíso passando à deriva". O aluno do COF (e, obviamente, seu professor) "é um exilado do tempo".

Se "o revolucionário vê o futuro radioso que os outros não são capazes de ver" e, com isto, se exalta,

> o reacionário, imune às mentiras modernas, vê o passado em todo o seu esplendor, e também se sente exaltado. Sente-se em mais forte posição que o adversário por se julgar guardião do que de fato aconteceu, e não profeta do que poderia ser. Isso explica o desespero estranhamente arrebatador que permeia a literatura reacionária, seu palpável senso de missão [...]. A combatividade da sua nostalgia é o que torna o reacionário uma figura tipicamente moderna, e não tradicional.

Este "exílio do tempo presente" estimula a nostalgia de uma época que ninguém viveu, e que, na prática, ninguém sabe como é ou foi — nem mesmo o próprio Olavo. Por isso, a sua alternativa de ver a filosofia como uma disciplina da alma, que supere os impasses provocados pela modernidade (em especial, sobre a dubiedade da natureza e do significado do Ser, ambos massacrados pelo reducionismo da técnica liberal e do determinismo marxista). Seu grande intento é abolir a separação entre ideia e vida, reintegrando-as como uma unidade dentro da ordem divina.

Todos esses esforços filosóficos de Olavo surgem na seguinte sequência, durante o aprendizado no COF: (1) as *relações entre a ciência e a filosofia*, nas quais uma visão mais clara do discurso poético-simbólico fornece o diálogo frutífero entre os dois campos; (2) a *relação entre poesia e filosofia*, já esboçada em ensaio de mesmo nome, cuja divisão de funções é acentuada nos estudos do COF; (3) a *teoria dos quatro discursos*, explanada no livro *Aristóteles em nova perspectiva* (1994), em que os discursos poético, retórico, dialético e lógico são absorvidos numa hierarquia e vistos como quatro modalidades de uma potência única; (4) a *teoria dos gêneros literários*, já detalhada em outro ensaio, "Os gêneros literários: seus fundamentos literários" (1993), e que fala justamente sobre a passagem de um discurso a outro; (5) a *astrocaracteologia*, cujo trabalho é separar a linguagem poética da linguagem simbólica, mostrando a objetividade da linguagem astrológica; (6) a *teoria da verdade como domínio*, cuja meditação sobre o fato de que estamos sempre dentro da verdade, mas que também podemos escapar dela, o que nos leva a uma outra solução — a do domínio da experiência do arrebatamento e do rapto cognitivo; (7) a *teoria do sujeito da História*, cuja recusa do abstrato nos leva a uma melhor compreensão da ação individual dentro do curso histórico; (8) a *teoria do império*, cujo conceito fundamental está descrito em detalhes em *O jardim das aflições*; (9) a *teoria do poder*, cuja reflexão é para determinar até que ponto se influencia a ação de outras pessoas na História; (10) a *teoria do direito*, que, dentro do estudo do poder, é importantíssima para determinar quem tem direitos e quem tem privilégios, a partir do exercício deste mesmo poder; (11) a *teoria da origem da autoridade*, que tentará fazer a distinção de poder e de autoridade; (12) o *princípio de autoria*, cujo reconhecimento consiste em ver que o ser humano é a verdadeira causa dos acontecimentos históricos, jamais o agente abstrato; (13) o *conceito de psique*, que examina a interioridade do ser humano por meio do conflito constante que há entre autoridade e razão; (14) a *contemplação amorosa*, que seria o embrião do método da confissão estipulado como eixo do COF e uma forma da aceitação plena da realidade objetiva e imperfeita; (15) a teoria da *paralaxe cognitiva e mentalidade revolucionária*, que mostra em detalhes o resultado histórico da "desumanização do homem" que Olavo tenta impedir, motivado por esse problema moral que o obceca por anos.

Assim, Olavo explicita que todo o propósito do COF "gira em torno da ideia de consciência", sobretudo a da consciência moral, porque seria o "elemento fundamental da integridade da personalidade". Aqui, a confissão ajuda não só no exame de consciência, mas também na ampliação do seu horizonte, culminando assim na tal da unidade de conhecimento que seria refletida na da consciência, cuja explicação é a seguinte: "buscamos também a unidade da nossa consciência, que assim se integra a si mesma e parte novamente na busca do conhecimento a partir de outro patamar, onde vai integrar mais unidade, integração, hierarquia, ordem e organicidade. Trata-se de um trajeto que só termina com a morte."

Até aí, tudo está de acordo com o que seria um verdadeiro curso de filosofia, apesar de ir na contramão do que pensa a academia, acostumada a um método mais técnico. Contudo, o movimento vertical de "subida-e-descida", já articulado em "A dialética simbólica", volta, sob a alegação de que, mesmo com a integração da consciência, o critério obtido será "refeito várias vezes". Pois, apesar de não terem uma profissão estritamente intelectual, os alunos do COF têm uma "responsabilidade cognitiva" e, por isso mesmo, não têm "o direito de se esconder atrás de uma profissão, nem podem pedir resguardo na falta de ambição em serem filósofos ou intelectuais, para assim poderem dirigir as suas vidas segundo os critérios usuais do seu meio. Se fizerem isso, tudo o que aprenderem aqui será perdido rapidamente".

Logo, para não retornarem ao estado psíquico de insegurança na qual se encontravam antes de entrarem no COF, esses mesmos alunos têm, além da responsabilidade individual, "a responsabilidade coletiva de formar uma nova intelectualidade". É óbvio que a "função principal" dessa intelectualidade "não é a tomada de poder e nem a participação na vida política, mas também não é recolher-se no tratamento de assuntos apolíticos e etéreos. A função da intelectualidade é criar a atmosfera geral da cultura, posicionando-se numa *camada que pode julgar, em termos morais e sociais, tudo o que se passa na sociedade, ainda que não tenha poder para impor decisões*". [grifos meus]

Na teoria, parece que estamos lidando com uma casta espiritual-intelectual que reformará a sociedade; na prática, o que examinamos é uma *verdadeira polícia do pensamento* que, estruturada como se fosse uma "teia hierárquica", substituiria os ativistas políticos de esquerda e as corporações fossilizadas do *establishment* midiático, articulando-se em um número reduzido — digamos, cerca de cem pessoas —, crentes de que possuem a "verdadeira consciência de si mesmas, produzindo material para criar *uma outra hegemonia e sanear a vida intelectual, que iria refluir para todos os domínios da sociedade*". [grifos meus]

Olavo esclarece que "quem tenha aprendido alguma coisa no Curso Online de Filosofia já tem esta incumbência, ainda que não o perceba, e mesmo que tenha de articular isto com o voto de abstinência em matéria de opinião". Esta última observação é marcadamente irônica, pois ninguém pode dar uma opinião sobre algo — exceto, é claro, o próprio professor. E por que isto acontece? Porque, inspirado pelo livro *A vida intelectual*, de A.D. Sertillanges, Olavo de Carvalho vende aos alunos a ideia de que "uma nova intelectualidade é como um apostolado, composta de pessoas que reorganizaram toda a sua vida (mesmo que isto obrigue a deixar de ter negócios com o Estado) para poder agir com consciência dos acontecimentos, das forças históricas em movimento e do que é possível fazer para minimizar os efeitos nefastos".

De novo, temos aqui a vertente *esotérica*, aquela que afirma que o conhecimento filosófico só pode existir entre alguns eleitos, capazes de entender que "o mundo do estudo é uma sucessão de estudos e aberturas que não termina mais [...]. À medida que formos progredindo, teremos experiências com mais densidade e saberemos muito mais coisas do que aquelas que conseguimos comunicar, e que só *podem ser compreendidas por quem tenha um nível equivalente de consciência*. Isto vai limitar bastante o mundo de pessoas que podem ser nossos amigos, porque serão cada vez menos aqueles capacitados para um verdadeiro intercâmbio". A noção de ser alguém realmente especial se intensifica pela sensibilidade de viver "num ambiente de *guerra cultural*", no qual "é importante saber como se dá o processo em que certas ideias se tornam dominantes numa sociedade". Daqui surge o importante conceito de *hegemonia cultural*, cujo processo, segundo Olavo,

[é como] certas ideias se impregnam por toda a sociedade até quase a um nível subconsciente, e todos acabam pensando em consonância mesmo sem perceberem (Antonio Gramsci dá à hegemonia outro sentido, o de dominação de uma classe por outra). A palavra "revolução" é um bom exemplo do que é a hegemonia cultural, devido ao seu uso disseminado em todas as áreas, sempre na base de uma falsa analogia: ou com as revoluções dos astros ou com uma mudança/ novidade repentina e auspiciosa. A revolução dos corpos astrais consiste nestes sempre voltarem aos mesmos lugares, pelo que não há novidade alguma, ao ponto de podermos calcular as trajetórias dos planetas com milênios de antecedência. Por outro lado, as revoluções sociais só aparentemente são repentinas, antes sendo processos altamente complexos e demorados, e só quando irrompem parecem auspiciosos, mas logo vira uma coisa macabra, mesmo para muitos dos seus entusiastas, que acabam por ser massacrados. Por mais erradas que sejam estas analogias, a palavra "revolução" continua a ser usada com um sentido positivo até mesmo pelos seus adversários, por exemplo, há muitos cristãos que consideram [o Cristianismo] uma revolução.

O COF surgiria justamente para resolver esse problema da linguagem contaminada pela hegemonia cultural, que não se origina somente com Gramsci, mas num processo que permeia toda a modernidade, dando uma "aura de rigor" na qual há somente "irracionalidade, mentira, ocultação proposital, propaganda, em suma, um conjunto de coisas que constituem a própria guerra cultural". E, por causa disso, os alunos do Curso Online de Filosofia precisam ter

> o entendimento do conjunto do processo e saber o que está realmente em jogo, algo que faltou aos representantes da cultura tradicional. A aquisição do panorama global — que nos permite fazer previsões históricas e ter uma noção do que devemos fazer — implica uma vida de sínteses parciais erradas, que terão que sempre que se refazer. Isto parece conduzir a uma perspectiva niilista, mas nunca poderemos nos apegar a uma crença humana, apenas podemos acreditar no Espírito Santo, independentemente de qual seja a nossa religião. Iremos abandonar as nossas crenças inúmeras vezes, *até que chegue a hora em que já não somos nós que fazemos a síntese, mas o próprio Espírito, e aí veremos as coisas como elas são.* [grifos meus]

O que era para ser uma comunidade de estudos tornou-se depois uma "teia hierárquica", cuja meta é influenciar espiritualmente os eventos políticos de uma nação, igual a uma casta — e agora passa a ter o senso de missão de que é uma espécie de *corpus mysticum*, no qual cada participante será análogo a um fiel que pode finalmente perceber a realidade em toda a sua nudez.

E quem seria o intermediário de tudo isso?

O próprio Olavo de Carvalho, é claro, que, inspirado na pessoa de Sócrates, afirma logo no início do curso que, "mesmo quando o aluno supera o mestre, ele sabe de onde veio e a quem 'tudo' deve", e, ao tentar "cortar o cordão umbilical", na hora de "confrontá-lo", é igual ao "adolescente" que não superou os desafios desta idade e "depois tenta lançá-los no 'lugar' errado".

13.

A "ilusão do conhecimento" para quem pratica todos os requisitos exigidos pelo COF deriva de dois pontos. O primeiro — e o mais óbvio, após analisarmos a obra de Olavo de Carvalho — é que o Curso Online de Filosofia se trata de uma grande manipulação da consciência dos alunos, com o uso deformado e instrumentalizado da "imaginação mediadora", de acordo com o método da analogia apresentado em "A dialética simbólica".

E o segundo — que cria enfim as condições para a existência do primeiro ponto — é que a verdadeira unidade na filosofia de Olavo não é a da unidade do conhecimento na unidade da consciência (e vice-versa), como o próprio alega de forma obsessiva; mas, sim, a unidade do *controle*.

Não é por acaso que o pensamento de Olavo abrange várias áreas do conhecimento, desde a epistemologia até a ética. A princípio, isso seria a função própria de quem pratica a filosofia até suas últimas consequências. Mas há, aqui, uma diferença essencial: conforme foi observado por Benedito Nunes, as filosofias de Platão, Aristóteles, Plotino e Santo Tomás, por exemplo, são o resultado de um momento histórico no qual o impasse intrínseco à empreitada da modernidade ainda não acontecera; já as filosofias de um Spinoza, de um Hobbes, de um Hegel e especialmente de um Heidegger se alimentam continuamente deste impasse, deste questionamento sobre a natureza e o significado do Ser — e o pensamento de Olavo de Carvalho só pode ser compreendido a partir deste problema.

E aqui tocamos num nervo delicado: até que ponto esse pensador tem consciência de que faz parte deste mesmo ambiente intelectual? Será que sua recusa em ser um dos comensais deste impasse não significa uma indulgência? Afinal, não se pode dizer que alguém como Olavo, dotado de uma personalidade titânica, de evidente caráter carismático, sofra de estupidez ou seja um praticante contumaz da desonestidade — mas tampouco seria um exagero afirmar que ele mesmo seja possuído por uma força que o faz acreditar piamente que escaparia desse impasse e da própria falácia que construiu no núcleo de sua obra.

Essa força só é apreendida se observarmos o que Olavo conseguiu erguer não no mundo meramente intelectual, mas sobretudo no mundo real. E é evidente que tal possessão do intelecto é a experiência de se ter uma certeza sobre o sentido da existência humana e, quiçá, da própria História, a ser transfigurada mais cedo ou mais tarde pelo "Espírito que ajudará os eleitos a verem as coisas como elas são". O que Olavo propõe, usando de todo um vocabulário metafísico ou religioso — e com a intenção de lutar contra as hidras do globalismo, da guerra cultural e da hegemonia de esquerda —, é controlar a angústia típica de quem vive a incerteza existencial e de quem não quer admitir, seja para si mesmo, seja para os outros (principalmente se forem seus alunos), que a vivência da fé, segundo a definição de Hebreus 11:1, não é criar uma *fidelidade* ou ter um *hábito* que desenvolva o intelecto para compreender a realidade, mas suportar, com alguma resignação, a frágil ordem do ser que ocorre quando a alma finalmente se abre em direção ao Deus transcendente.

Trata-se de um estado quase insuportável sob o qual a vida espiritual extrai as melhores virtudes dos períodos de espera, de aridez e tédio, de contrição e arrependimento, de esquecimento e esperança — o que Eric

Voegelin chama de "os chamados silenciosos do amor e da graça", que tememos perder ao reconhecer que a conquista desses dons é, se eficaz, também uma impossibilidade.

Já vimos antes que Olavo reconhece esta tensão. Porém, recolhe-se dela por meio da unidade de controle inerente ao seu pensamento — e daí vem o fato de seu "esboço de sistema de Filosofia" abranger tantas áreas de reflexão. Ele quer *dominar* tudo o que a filosofia lhe deu e tudo o que a realidade pode lhe dar — desde discursos políticos, referências bibliográficas, falas de alunos, declarações de inimigos, ditos de amigos, numa lista que pode ir ao infinito, e que começaria com sua leitura, à la Charles Kinbote, de autores como Voegelin, Bernard Lonergan, Xavier Zubiri, Mario Ferreira dos Santos, Bruno Tolentino, Christopher Lasch, Rosenstock-Huessy, Husserl, Kant, Guénon, entre tantos outros, até terminar no *last but not least* desejo de se integrar a um movimento político que chegou ao poder federal — seja o bolsonarismo, seja qualquer outro que exista em "determinadas circunstâncias" — para exercer não só a sua influência, mas também, principalmente, para estruturar, com a ajuda do Estado, a sua "teia hierárquica", que solidificará o projeto do COF de maneira permanente.

Por mais que não queiramos perceber isso, a unidade do controle presente em um pensamento filosófico é a característica marcante do intelectual que sofre da doença da *pleonexia*. E, com Olavo, cada manifestação pública sua evidencia o anseio quase desesperado de que as suas ideias e as suas palavras alterem não só a realidade pragmática dos eventos cotidianos, mas a própria estrutura do real. É um claro projeto de poder — com toques místicos, é certo, mas que jamais oculta a sua *libido dominandi*.

O problema é que a retórica empregada por Olavo — em conjunto com o manejo magistral da analogia como uma forma de pensar que conecta os diversos níveis da realidade — cria nas pessoas que pretendem fazer parte desta nova casta intelectual, direta ou indiretamente, uma espécie de feitiço que aprisiona a consciência. Nesta realidade alternativa, elas são os anti-indivíduos, todos integrantes de algo jamais visto na trajetória recente deste país — uma surpreendente revolta do subsolo a emergir na nossa sociedade.

14.

Este encanto subliminar só poderia ser articulado por um filósofo que condensasse, dentro da unidade de controle da sua obra, todas as virtudes e todos os vícios da história intelectual brasileira. E a Providência resolveu dar este lugar justamente para Olavo de Carvalho.

Como escrevi em *A poeira da glória*, tudo isso é consequência radical do esteticismo que impera na cultura brasileira, de cuja presença em cada uma de nossas ações, em cada um de nossos pensamentos, poucos se dão conta.

Este fenômeno bizarro foi analisado brilhantemente por Mario Vieira de Mello em seu livro *Desenvolvimento e cultura* (1963), ao mostrar que a alma brasileira — este bicho estranho, que muitos intelectuais da nossa terra tentam reduzir ao extremo, independentemente de serem de direita ou de esquerda — não consegue encarar a existência como um problema moral, em que o Bem e o Mal são objetivos, dependentes de uma escolha singular, mas como uma questão estética, igual a uma obra de arte que se pode modificar à vontade, mesmo que isso ocorra às custas dos outros ou até de si mesmo, chegando ao ponto de dividir ações que antes seriam indissociáveis (como é o caso de quem *pratica* a poesia e de quem *vive* a filosofia).

Isto aconteceu como consequência dos anos de influência portuguesa, da Ordem dos Jesuítas, sobre um ensino que privilegiava a retórica jurídica em vez da observação desapaixonada da realidade que marcou Paris e Oxford. Daí por que as universidades daqui se transformaram em um palco para a exatidão dos estudos e o adorno das palavras. Este tipo de educação retirava qualquer espécie de componente ético do ensinamento dos filósofos clássicos, como Aristóteles, Santo Tomás de Aquino ou Santo Agostinho, escolhendo apenas a casca dos conceitos e os raciocínios que não tinham qualquer conexão com uma realidade vital. Era um tipo de *paideia* ao avesso, que agradaria somente à sensibilidade do "anti--indivíduo", na qual as disputas filosóficas serviriam apenas para treinar um intelecto aparentemente autossuficiente.

Depois da expulsão dos jesuítas de Portugal, promulgada pelo marquês de Pombal, em 1759, esperava-se uma mudança de mentalidade no Colégio das Artes e na Universidade de Coimbra, mas nada disso aconteceu. A atração pelo ornamento se intensificou, mudando apenas do interesse humanístico para o estudo aprofundado da ciência como uma aplicação prática, e que finalmente colocaria Portugal no círculo dos eminentes filósofos iluministas da França.

Em termos culturais, a França foi a principal vitoriosa com a expulsão dos jesuítas na formação educacional portuguesa, porque se estabeleceu um vácuo que deixaria tanto a Metrópole como a Colônia sem qualquer norte intelectual. Este vazio provocado pela saída da Ordem de Inácio de Loyola permitiu que a cultura francesa ascendesse, no início do século XIX, como a orientação definitiva nos assuntos do pensamento. Contudo, e aqui se trata especificamente do que ocorreria no Brasil a partir deste momento, os portugueses e os brasileiros não decidiram pela França de Montaigne e Rabelais, que tinham consciência de uma realidade mais concreta, muito menos pela França de Descartes e Voltaire, que, por mais que fossem obcecados com o "monismo da razão", ainda assim preocupavam-se com uma perspectiva metafísica (mesmo que numa vertente negativa) no fundamento do seu questionamento filosófico. Não, a França escolhida foi a do romantismo e suas variantes — a da Inglaterra, com a morbidez de Lord Byron, e a alemã, com o idealismo totalizante de Schiller, Novalis e do primeiro Hölderlin.

No caso específico do Brasil, a França foi alçada a uma espécie de "antepassado espiritual", cortando de vez os vínculos com Portugal, em um movimento com claras tendências políticas e que tinha muito a ver com a nossa independência promulgada em 1822. Mas o vírus da retórica persistia — e por uma questão de simples afinidade. Pois, se o Romantismo francês foi uma reação contra o "monismo da razão", no qual o pensamento iluminista insistia como a única possibilidade de entender a realidade, a ênfase caía na sensibilidade deturpada do "anti-indivíduo", que tinha de se virar neste mundo repleto de traições, jogando, como única arma, com a sua emoção particular contra a racionalidade imparcial, revelada agora como um sonho que despertava os monstros presos na nossa vida interior, igual ao famoso desenho de Goya.

A união inusitada entre o sentimentalismo do "anti-indivíduo" e o amor pela casca das palavras vazias da sensibilidade portuguesa, corrompido pela Contrarreforma jesuítica, somada ao "triunfo do eu subjetivo sobre o mundo objetivo, um desejo de espaços livres, uma nostalgia de terras distantes e de épocas longínquas" do brasileiro (nas palavras certeiras de Mario Vieira de Mello), criou o pesadelo da retórica que, no fim, dominou a própria descrição do mundo. Esta fantasmagoria tornou-se não só um instrumento para que o intelectual convencesse o seu público de que os seus sentimentos eram os melhores e os mais nobres, mas também uma ferramenta de poder, porque, graças às suas habilidades puramente técnicas, provaria finalmente ter todas as condições necessárias para mudar o país que, antes de qualquer coisa, deveria avançar no progresso e na libertação de uma nacionalidade ainda incipiente.

A obra de Olavo de Carvalho pretende ir na contramão desta avalanche histórica que contaminou as nossas mentes. No entanto, mesmo que não admita para si ou para os seus alunos, ele não conseguiu nada disso. O que aconteceu de fato é que se misturou ainda mais no clima de *totalitarismo cultural*, acentuado no país desde o movimento da Semana de Arte Moderna de 1922, com suas piruetas ideológicas que até hoje causam confusão entre nós — como, por exemplo, o fio de Ariadne que liga as tendências políticas da fase final da Primeira República às da mentalidade modernista.

Se, antes, havia o republicanismo jacobino-positivista (o "castilhismo" que influenciaria a juventude de Getúlio Vargas), o republicanismo conservador (o discurso oficial da República), o republicanismo liberal-progressista (defendido pela oratória empolada de Rui Barbosa), o ruralismo autoritário de Alberto Torres e o integrismo católico de Jackson de Figueiredo, agora, com uma mudança de verbo ali, outra acolá, tínhamos os artistas modernos, sempre com uma índole de "evolução socializante" (Mário de Andrade), os ex-conservadores que se bandearam para o anarquismo (Oswald de Andrade), os tradicionalistas como Gilberto Freyre e os protofascistas como Plínio Salgado.

A retórica muda o sentido das palavras, mas a intenção permanece a mesma: tanto ontem como hoje, o Brasil se divide entre um "nacionalismo da ordem" e um "nacionalismo da desordem" — e a inteligência do país, desintegrada entre a direita e a esquerda, ambas repletas de "anti-indivíduos" prestes a fomentar uma revolta do subsolo, esforça-se para manter a todo custo a expectativa de que somente um "poeta", um "líder providencial", poderia realizar a integração plena entre o Estado e o resto da sociedade (na época do modernismo, era Vargas; nas décadas de 1990-2000, Fernando Henrique Cardoso ou Lula; atualmente, é Jair Bolsonaro).

O resultado prático desse *totalitarismo cultural* na nossa história se reflete numa idolatria pela soberania popular — que nada tem a ver com o "populismo-conservador" defendido por um Christopher Lasch, mas que seria curiosamente apoiada por Olavo de Carvalho desde as rebeliões do novo tempo do mundo, iniciadas em 2013. Ela foi defendida tanto pela ditadura militar quanto pelos manifestantes das Diretas-Já em 1984, criadores da "tirania da maioria" que hoje infesta as universidades, as redações jornalísticas e os partidos políticos.

Usando dessa idolatria psíquica para se apoiar no Estado e assim estruturar por completo a sua "teia hierárquica", o projeto pedagógico de Olavo é vendido como a solução a este ambiente deletério. Mas a insistência na sua sensibilidade de "mente naufragada" apenas o ajuda na projeção de um verdadeiro projeto totalitário; pois, ao querer aplicar a sua reforma intelectual, moral e espiritual na educação do homem comum brasileiro, na verdade perpetua a tirania dos especialistas, a mesma espalhada em todas as profissões do globo terrestre e que tenta controlar o ser humano desde os primórdios da modernidade, justamente quando nasce o "anti-indivíduo".

Incapaz de controlar as suas paixões e reconhecer quais são as suas virtudes, este tipo de personalidade prefere ficar dependente de um mestre que, ciente do seu poder carismático, faz seus estudantes *imaginarem* que ele possui uma série de ensinamentos aos quais apenas poucos têm acesso. Sem terem a mínima noção deste problema existencial enraizado no coração de cada um — o verdadeiro pecado original que danifica qualquer valor que o intelecto possa ter —, passam a se recusar a admitir que o *totalitarismo cultural* criado pela pretensa comunidade que compõem é muito pior do que qualquer governo ditatorial.

Trata-se de uma forma muito precisa e técnica de *anti-intelectualismo*, típica de quem se refastela na revolta do subsolo, com pretensões de alterar o que reconhecemos como o ser humano, modificando o que sempre se soube dele por meio de relatos históricos e literários, em um discurso politizado (com uma aparência filosófica ou religiosa, como o que acontece nas aulas do COF) que resolveria todos os nossos problemas. Os alunos são capturados por uma devoção peculiar, como se tocados por uma iluminação celestial por meio da qual, conforme diria Vacláv Havel, entendem que *o centro do poder é igual ao centro da verdade*.

Em termos políticos, Olavo aproveitou-se do "quietismo" de uma direita que se pretendia equilibrada — diante de uma esquerda nitidamente e igualmente totalitária — para manipular a "imaginação mediadora" (leia-se: a *imaginação moral*) dos seus alunos e assim criar uma nova narrativa, na qual ele seria nada mais, nada menos que o Alfa e Ômega da cultura brasileira. Em um sentido puramente intelectual, Olavo foi vitorioso, mas não no mundo real, onde suas previsões concretas simplesmente deram com os burros n'água, provando assim que, na crença de que tudo estava sob o controle das suas ideias, jamais respeitou a dinâmica imprevisível da conduta humana.

Para ficar no exemplo menos importante, Olavo, coerente na sua fúria de mente naufragada segundo a qual o *establishment* nacional seria corrompido e corruptor, passou a denunciar a desmoralização do sistema político por inteiro, defendendo a sua reconstrução a partir do zero. Além disso, foi radicalmente contra as investidas prudentes do Movimento Brasil Livre (MBL) e da advogada Janaína Paschoal de procurarem uma negociação institucional para resolver o imbróglio do *impeachment* de Dilma Rousseff.

Ele escreveu literalmente que o *impeachment* não passava de "uma manobra para a salvação da classe política" e a manutenção da esquerda no poder. Argumentava que a chamada "nova direita" (cuja criação ele diz — e depois desdiz, naquela dialética típica de quem adora confundir a cabeça das pessoas — não ser obra dele) deveria se concentrar na ocupação de espaços "nas escolas, na igreja, nas sociedades de amigos", e não no Estado.

Todavia, conforme o relato da jornalista Consuelo Dieguez, publicado na revista *Piauí* de janeiro de 2019, "à maneira gramsciana, Carvalho privilegiava a busca de hegemonia no âmbito da sociedade civil"; mas, curiosamente, quando as eleições de 2018 mostraram o seu resultado nas urnas, consagrando Jair Bolsonaro, ele jamais reclamou dos alunos cooptados pela máquina do novo governo.

Esta contradição concreta entre o que Olavo escreve e o que pratica na vida real indica uma fissura muito mais profunda do que podemos imaginar. Não é apenas ficar entre o "nacionalismo da ordem" e o "nacionalismo da desordem", salpicado com toques de uma caricatura de populismo — e que, no fim, é o mesmo tipo de ambiente cultural que lhe permitiu prever com exatidão todas as movimentações futuras do Partido dos Trabalhadores (e daí vem o fascínio que comove os incautos).

Estamos falando de algo mais sério e que acompanha o *drama da razão* que nos consome desde os primeiros tempos da filosofia, quando Platão e Aristóteles já entendiam que toda a decisão política tinha um caráter intrinsecamente trágico.

15.

Neste livro, argumentou-se anteriormente que a *poesia*, a *filosofia* e a *política* só vencerao suas respectivas *rivalidades* se encontrarem uma unidade de significado e de significante na tragédia inerente a cada escolha que afeta o Bem Comum da sociedade. Além disso, esta visão também articulava uma "melancolia" toda própria na imaginação da esquerda (em especial, a brasileira), que, enrodilhada em um impasse desde as vitórias presidenciais de Donald Trump e Jair Bolsonaro, buscava reorganizar a realidade em um ritmo extremamente acelerado, capaz de diminuir as expectativas decorrentes de seu fracasso ao não compreender o atual horizonte de consciência.

A importância de Olavo e seu impacto no tecido social do Brasil não se devem apenas às implicações existenciais dos seus ensinamentos. Sua presença indica que ele é a *encruzilhada encarnada* entre a tragédia do filósofo que se envolve com as artes da política e a ânsia por superar a filosofia, resultado do que ocorre quando se vive aquilo que Paulo Eduardo Arantes chama de "o novo tempo do mundo".

Ao procurar influenciar a decisão política na história brasileira, Olavo perde a chance de ser, no seu papel de filósofo, a *nomos empsychos* — a lei animada que orienta as múltiplas tensões que ocorrem na vida espiritual de um país quando estamos envolvidos na dinâmica do *eros* filosófico. Ao mesmo tempo, porém, ele não pode escapar desta função. No fundo, no afã por vencer a luta espiritual dentro de sua alma, o teórico da "contemplação amorosa" ficou completamente dilacerado entre as forças subterrâneas do Leviatã e do Behemot denunciadas logo na abertura de *O imbecil coletivo*.

Sua derrota é a derrota de todos nós, pois, como brasileiros, somos igualmente arrastados pela força insana de um *eros* filosófico que, no fim, conforme escreveu Mark Lilla em outro livro (*A mente imprudente*), mostra que

> o filósofo também conhece a loucura do amor, o amor da sabedoria, mas não abre mão da própria alma em nome dele; mantém-se no controle, governando a si mesmo. O homem tirânico é a imagem invertida do filósofo: ele não é o governante das próprias aspirações e desejos, e sim *um homem possuído pela loucura do amor, escravo de suas aspirações e desejos, e não seu governante.* [grifos meus]

É por esse motivo que de nada adianta chamar Olavo de Carvalho pelos clichês reducionistas proferidos a mancheias pela imprensa ou pela academia — e que vão desde "guru do bolsonarismo", "líder de seita", "ideólogo da Nova Direita", passando por "astrólogo", "picareta reacionário", até chegar no risível "filósofo sem diploma". Ele tem importância histórica já garantida; porém, não do modo como seus detratores ou defensores querem. Temos aqui um homem que realmente ouviu o chamado da filosofia e sentiu o seu apelo. Contudo, por algum motivo desconhecido (e que não nos cabe julgar), a "pomba escura" (*dark dove*) vista por Eliot nas ruínas de Londres na Segunda Guerra Mundial, o "espectro da heresia" que visitou Bruno Tolentino sob a máscara do encapotado Charles Baudelaire e o fogo pálido da analogia tomaram-no de assalto, pervertendo completamente o *eros* filosófico que poderia ter sido semeado na sua obra e no resto da cultura brasileira.

A constatação desta tristeza não o exime das consequências de seus ensinamentos, especialmente entre seus alunos ou entre os membros da elite política que julgam entender suas lições. Afinal, "no *eros* começam as responsabilidades". E Bruno Tolentino já observava que, "sob a roupagem ilustre de algumas das mais sofisticadas construções da mente humana" — e este é precisamente o caso da obra filosófica de Olavo de Carvalho —, esconde-se há tempos, "não em seu amor ao saber (*philo-sophia*), mas em seu ódio a esse saber (*phobo-sophia*), que a ultrapassa de fato e de *natura*, [...], sempre a mesma e antiquíssima modalidade do absurdo: a absurda vontade do homem enfermo de orgulho, e a sede de um 'saber' que desminta ou, melhor ainda, substitua a divina sabedoria".

Desse modo, fica evidente que o *filosofema* sobre o qual Olavo tanto se baseia para dar coerência em seus pensamentos é apenas um recurso retórico, uma *casuística*, acentuado pelo abuso de uma analogia que busca justificar essa cisão entre o que acontece no mundo das ideias e no mundo real. Neste hiato, ele se separa das consequências das suas ações, incapaz de praticar o *skin in the game* defendido por Nassim Nicholas Taleb — e transfere todo o risco para aquela pessoa que ainda não entendeu que, para viver a *sua* filosofia, é obrigado a imergir "*num certo modo de ver as coisas, que é transportável para fora deles e participável por quem quer que, saltando sobre os textos, faça esse seu modo de ver, integrando-o no seu próprio*". Temos aqui o exemplo do *eros* tirânico que habita na alma de um filósofo — e o resultado disso é nada mais, nada menos, nas palavras de George Steiner em *Lições dos mestres*, que a derradeira solidão:

> O verdadeiro magistério pode ser um empreendimento terrivelmente perigoso. O Mestre tem em suas mãos algo muito íntimo de seus alunos: a matéria frágil e inflamável de suas possibilidades. Ele toca com as mãos no que concebemos como alma ou as raízes do ser, toque esse do qual a sedução erótica é a versão menor, ainda que metafísica. Ensinar sem grave apreensão, sem uma reverência inquietante pelos riscos envolvidos, é uma frivolidade. Fazê-lo sem se preocupar com quais podem ser as consequências individuais e sociais é cegueira. *Ensinar com grandiosidade é despertar dúvidas no aluno, é treiná-lo para divergir. É preparar o discípulo para partir* ("Agora deixem-me", ordena Zaratustra). O verdadeiro Mestre deve, no final, estar só. [grifos meus]

Entretanto, o *filosofema* de Olavo de Carvalho não faz o aluno abandonar o professor em nenhum momento. Quer mantê-lo em uma coleira até o final dos tempos. E aqui nos deparamos com a grande ironia deste mestre: na tentativa de superar o impasse da filosofia na modernidade, por meio de um ambicioso projeto idiossincrático, sem fazer a distinção entre o espírito e a letra, corrompeu não só a sua própria inteligência, como a dos outros ao seu redor.

Tornou-se assim um exemplo sofisticadíssimo do "Intelectual Porém Idiota", pois sua intenção primordial jamais foi a disputa do poder político, e sim, como o próprio descreve a respeito de um dos seus grandes modelos, René Guénon, no texto "As garras da esfinge" (2017), "algo que está infinitamente acima disso e do qual [...] o poder político não é senão um reflexo secundário, quase desprezível" — no caso, a disputa da autoridade espiritual sobre as consciências dos "anti-indivíduos" que somos todos nós.

É a *filotirania* em estado puro — o amor pelo desejo tirânico, personificado ora num líder político, ora em um mestre que guie nossas almas. Com isso, a obra de Olavo de Carvalho não passa de um conjunto de textos que, sem uma unidade esculpida na "lição de modelagem", pratica a *"indiferença à graça,/ na pompa e na soberba/ dos sonhos do intelecto/ que se presume autônomo"*. É algo semelhante ao famoso conto de Jorge Luis Borges, "As ruínas circulares", no qual um mago misterioso se encontra em um local cheio de escombros para construir o homem perfeito e, entre um sonho visionário e outro, começa a conversar com "nuvens de alunos taciturnos", todos ouvintes ávidos de

> lições de anatomia, de cosmografia, de magia: os rostos escutavam com ansiedade e procuravam responder com entendimento, como se adivinhassem a importância daquele exame, que redimiria um deles da sua condição de vã aparência e o introduziria no mundo real. Durante o sonho e a vigília, o homem considerava as respostas de seus fantasmas, não se deixava engabelar pelos impostores, adivinhava em certas perplexidades uma inteligência crescente. Buscava uma alma que merecesse participar do universo.

No final da história, a empreitada do mago fracassa, mesmo com a construção do homem perfeito, que se revela não só como um sonho do feiticeiro, mas também — numa típica reviravolta borgiana — como a mesma pessoa que sonhava com o seu criador. Esta é a imagem recorrente para representar o falhanço de Olavo, pois o que temos aqui é um pensamento que não para de girar em falso, em que o *filosofema* é a raiz de uma separação que jamais ocorreu, na *palaia diafora* entre poesia e filosofia, a "velha discórdia" terminada apenas com a união dessas duas na perspectiva da tragédia.

Esta divisão artificial é apenas o resultado de uma anomalia típica de um filósofo que incorpora (e tenta combater, sem sucesso) a cultura do esteticismo que sempre existiu no Brasil, em especial no centro da sua teoria, talvez ciente de que este recurso seja a única forma que alcançou para dar alguma coerência aos seus "rascunhos do ser".

Na impossibilidade de se comportar como um estadista, alguém que pensa na sociedade onde vive tal e qual um grande drama, em que cada um tem seu papel no funcionamento da cidade ou do Estado que governa,

Olavo poderia ter sido o artista que comanda e que educa, que pensa e reflete, que age e reage de acordo com o que está dentro da sua *nomos* interior, mostrando aos outros a sua incorporação como algo vivo no tecido comunitário, e não como uma mera regra a ser corrompida conforme as pressões da existência.

Quem perde com isso não somos apenas nós, como verdadeiros indivíduos, ou então um país, pronto para ser engolido por esta revolta do subsolo. É a filosofia como um todo.

Ao provarem que o diagnóstico de Benedito Nunes sempre esteve correto, as ruínas circulares de Olavo de Carvalho passam a sofrer do mesmo mal do pensamento de Heidegger, ambos caindo nas malhas secretas que o Ser lhes preparou. A diferença é que, se o brasileiro precisa mergulhar nesta "soberba do intelecto", o filósofo alemão reconhece que a "lógica está rodeada por um *logos* primevo, que a linguagem condensa e que os poetas reativam, liberando o mesmo fundo que à ontologia fundamental cabe mostrar, seja pela palavra, seja pelo silêncio. O silêncio, como ausência da linguagem, para expressar o sentido do Ser, é o momento da espera".

Na busca trágica pela decisão política correta, o autor de *A filosofia e seu inverso* (2012) não quis esperar nem ouvir o silêncio que ganharia se insistisse na sua liberdade interior — e na dos seus alunos. Por isso, recusou a tragédia que o tornaria de fato o grande filósofo que sempre quis ser. Seus últimos anos são como a anedota da raposa contada por ninguém menos que Hannah Arendt:

> Era uma vez uma raposa tão carente de astúcia que não só era constantemente apanhada em armadilhas como sequer era capaz de identificar a diferença entre uma armadilha e uma não armadilha. Construiu uma armadilha para ser sua toca. "Recebo tantas visitas na minha armadilha que me tornei a melhor de todas as raposas." E também há uma certa verdade nisto: ninguém conhece melhor a natureza das armadilhas do que alguém que fica a vida inteira numa delas.

A obra de Olavo de Carvalho só pode ser contemplada com amor se a observarmos, logo no seu pórtico de entrada, com a ajuda do aviso dito por um grande moralista francês: *Não podemos olhar fixamente nem o sol nem a morte*. Essas palavras de La Rochefoucauld valem por um resumo de tudo o que restou daquilo que conhecíamos como filosofia.

8.

As máscaras do exílio

E dos escombros da filosofia surge o seguinte conselho do poeta russo naturalizado americano Joseph Brodsky, publicado na coletânea de entrevistas *A musa no exílio*, quando ouviu a seguinte pergunta: "Você acha que ser exilado contribuiu para seu interesse de observar a língua com algum distanciamento?"

Sua resposta é:

> Acho que ajudou [...] Quando vim para cá [os EUA], disse a mim mesmo para não fazer dessa mudança um grande acontecimento — para agir como se nada tivesse acontecido. E eu agi assim. E ainda ajo, creio, para seguir em frente. No entanto, durante os dois ou três primeiros anos, senti que estava atuando em lugar de viver. Bem, atuando como se nada tivesse acontecido. Atualmente, acho que a máscara e a face colaram-se uma à outra. Eu simplesmente não sinto e não consigo distingui-las.

Quem sobrevive no exílio, seja exterior ou interior, precisa criar uma estratégia idiossincrática — a de elaborar uma máscara (*persona*, no latim) que proteja a sua verdadeira identidade. Brodsky sabia disso como poucos. Sobrevivente da União Soviética totalitária e de uma América acolhedora, porém feroz na caçada pelo sucesso a qualquer custo, ele reconhecia que a musa poética era "uma face incomum". "Independentemente de alguém ser escritor ou leitor", escreve, "a tarefa [desta musa] consiste, em primeiro lugar, em dominar a sua própria vida, sem a imposição e prescrição de terceiros", pois, como o poeta arremata em *Sobre o exílio*, ninguém descerá à cova conosco exceto nós mesmos.

Para manter o relacionamento com essa "face incomum", Brodsky teve de criar a *persona* de um poeta temperamental, boêmio, talvez um pouco mulherengo, sempre pronto para dizer uma *boutade* polêmica. Na verdade, era alguém completamente atormentado por não conseguir rever tanto seu país natal como Andrei, seu único filho. A obsessão que tinha pela obra de W.H. Auden mostra que, afinal de contas, jamais conseguiu alcançar o equilíbrio entre a razão e as emoções que fundamentam os alicerces de um grande poema, apesar dos louros do Nobel de literatura recebido em 1987. Não à toa, seu triste fim jamais foi visto por seus colegas como um fim — e sim como uma interrupção.

Outro poeta contemporâneo de Brodsky (e também vencedor do Nobel de literatura, em 2011), o sueco Tomas Tranströmer entendia igualmente o exílio como a forma mais brutal de interrupção. Neste caso, ele tornou-se um exilado em seu próprio corpo ao ser vítima de um derrame em 1990, paralisando o seu lado direito. Mesmo assim, nunca deixou que a sua poesia fosse interrompida, como bem observou a tradutora Marcia Sá Cavalcante Schuback. Continuou a escrever sua obra — e a tocar piano, sua outra grande paixão — com a mão esquerda, moldando uma *persona* plácida e serena diante das outras interrupções que o mundo o obrigou a suportar, com versos aparentemente distantes, mas que, no fundo, sempre retornavam àquela experiência marcante, registrada logo no primeiro verso do seu poema de estreia, em 1954 — a de que acordar para a luz do dia era um "saltar de sonhos com paraquedas".

Essa resistência contra as interrupções, típicas de quem vive no exílio, é também a marca registrada da obra do escritor brasileiro Juliano Garcia Pessanha. Ao mesmo tempo, poucos souberam usar com tamanha habilidade a estratégia das máscaras como ele. Em seus livros anteriores — o chamado "quarteto da angústia", composto por *Sabedoria do nunca*, *Ignorância do sempre*, *Certeza do agora* e *Instabilidade perpétua*, todos reunidos no volume único *Testemunho transiente* —, Pessanha se apropriou da filosofia de Martin Heidegger, dos aforismos de Emil Cioran e da poesia dos portugueses Fernando Pessoa, Herberto Helder e Sophia de Mello Breyer Andersen para criar um gênero único na literatura nacional. Trata-se da "heterotanatografia", uma biografia que mistura ficção, ensaio e versos para meditar sobre uma existência que parte da morte para entender a vida — e não do seu inverso, como fazem as autoficções que pululam por aí. Neste jogo de esconde-esconde, Pessanha constrói a sua *persona* de "pastor do ser", o escritor angustiado que tem uma mensagem para transmitir ao homem comum, mas é absolutamente incapaz de resolver a vida nos termos mais práticos.

Este paradoxo — que, para o próprio Juliano, tem toques de tragicomédia — é finalmente rompido em *Recusa do não-lugar*, um livro extremamente corajoso, no qual o autor não tem o mínimo pudor de destruir as máscaras que construiu para suportar o seu exílio interior e perceber que, ao contrário do que praticaram Brodsky e Tranströmer para enfrentar a interrupção do desterro, toda a sua literatura anterior não passava de um fracasso completo. Todavia, é neste rompimento que se encontra a sua maior vitória.

Ao superar a influência de Heidegger, absorvendo a filosofia acolhedora de outro alemão, Peter Sloterdijk, Pessanha recupera a "face incomum" da poesia ao perceber que adquirir uma certa leveza ao lidar com o mundo não significa ser completamente vazio. A abstração conceitual (e extremamente sofisticada) dos livros anteriores é substituída por uma procura pelo concreto, sem prejuízo do rigor filosófico, busca que será recompensada não somente com as leituras de Nietzsche, mas também com as de Adam Smith, este aliado improvável de um escritor que, para pagar as contas, não tem vergonha de ser um taxista no período noturno — além de admitir que, antes, o "pastor do ser" era nada mais, nada menos que um "Mestre Eckhart de shopping center".

Será neste equilíbrio adquirido a duras penas que talvez fique nítido que a verdadeira influência de Pessanha nunca foi Heidegger ou Sloterdijk, e sim a grande poetisa lusitana Sophia de Mello Breyer Andersen.

Sem dúvida, Sophia é também uma artista do exílio — mas ela consegue viver dentro dele sem usar nenhuma espécie de máscara, o que é algo admirável. Logo no início da sua obra, seus versos reconhecem que

apesar das ruínas e da morte,
onde sempre acabou cada ilusão,
a força dos meus sonhos é tão forte,
que de tudo renasce a exaltação
e nunca as minhas mãos ficam vazias.

Sophia não vê o exílio como um fardo, e sim como uma bênção — e, por isso, não precisa de disfarces, de apropriações, de aliados. Sua única amiga é a poesia. Ela lhe dá a chance de ser Orfeu e Eurídice, Ulisses e Penélope ao mesmo tempo, sem qualquer perda de sua própria identidade. Mas a percepção de que "o reino dividido" é algo sempre permanente a faz ir além das interrupções que poderiam consumi-la — e é então que a poesia de Sophia e a literatura de Pessanha se unem de maneira única, ao descobrirem que, quando se vive no exílio, o artista jamais deve se ver como uma vítima.

Pois esta foi a última lição de Joseph Brodsky antes de morrer de um ataque cardíaco fulminante, em 1996. Como ele bem descreveu, uma vez que todos nós vivemos na condição de exilados, independentemente da geografia, jamais podemos ser orgulhosos, na crença tola de que a literatura e a filosofia são o suficiente para substituir a vida. O fato, porém, é que as seduções do intelecto não libertam ninguém — é o que nos diz Juliano Garcia Pessanha, que ficou próximo de seguir os passos do poeta de *A Part of Speech*, ao ser o alvo quase fatal de um coração interrompido, como relata em *Recusa do não-lugar*, no capítulo mais comovente do livro.

Entretanto, Juliano aprendeu, ao incorporar para si a tradição dos versos de Brodsky, Tranströmer e Sophia, que um homem livre reafirma a sua liberdade interior aceitando naturalmente as interrupções da nossa existência, em especial quando vivemos entre a revolta das elites e a revolta do subsolo que desejam matar a qualquer custo a consciência individual. O verdadeiro artista não culpa ninguém quando enfim se reencontra com a "face incomum" da musa que amarra as pontas da vida e da arte. Esta é a lição mais difícil que alguém pode aprender — e, neste caso específico, foi cumprida à perfeição.

*Todos serão julgados. Sendo assim,
Mestre do escrúpulo e da sutileza,
roga por nós, os fariseus da escrita,
os mortos como os vivos. Porque, enfim,
ao que parece, é mesmo desmedida
nossa vaidade; porque há mais nobreza
em muitas obras do que em tantas vidas,
não roga só por mim, Mestre, intercede
pela traição de todos os escribas.*

W.H. Auden, "At the grave of Henry James"*

---

* *All will be judged. Master of nuance and scruple,/ Pray for me and for all writers, living or dead:/ Because there are many whose Works/ Are in better taste than their lives, because there is no end/ To the vanity of our calling, make intercession/ For the treason of all clerks.* Tradução de Bruno Tolentino.

Agradecimentos

Gazeta do Povo (Jones Rossi), *O Estado de São Paulo* (Antonio Gonçalves Filho e André Cáceres), onde os capítulos 1, 4, 5, 6, 7 e 8 foram publicados anteriormente, agora reescritos ou modificados para este livro; Dionisius Amêndola, Francisco Razzo e Gabriel Ferreira, aristocratas do rebotalho; Fabio S. Cardoso, pesquisador incansável; Pedro Fonseca, pelos livros e pela ousadia de publicar obras que resistem ao tempo; Pedro Mexia, pela leitura generosa e pelo texto de orelha; Alexandre Borges, pelas dicas; Renan Santos, por causa do termo "teia hierárquica"; João Pereira Coutinho, pela ajuda inestimável; Elton Flaubert, pela expressão "revolta do subsolo".

À Família Repinica, pelo amor; à esposa, pela paciência e carinho.

Dedicado à memória dos meus avós, Ana Maria Botelho e Vasco da Cunha d'Eça, do grande Geneton Moraes Neto e, *last but not least*, do caríssimo Felipe Cherubin.

21 de abril de 2017 — 2 de setembro de 2019

M.V.C.
S.D.G.

*O texto deste livro foi composto em
Minion Pro, em corpo 11/16.*

*A impressão se deu sobre papel off-white
pelo Sistema Cameron da Divisão Gráfica
da Distribuidora Record.*